1日6字、3カ月で初級〜初中級の漢字をマスター

新装版
1日15分の漢字練習

15 Minutes of Kanji Practice per Day: Beginning/Pre-intermediate Characters (New Edition)

初級〜初中級

日本語能力試験N5・N4・N3レベル

英語・中国語（簡体字・繁体字）・
韓国語・タイ語・ベトナム語訳付き

学校法人 KCP 学園　KCP 地球市民日本語学校編

目次 (CONTENTS　目录 目錄　차례　สารบัญ　Mục lục)

はじめに VI～XII	Introduction	序文	처음으로	คำนำ	Mở đầu
本書の使い方 VI～XII	How to use this book	本书的使用方法 本書的使用方法	본서의 사용 방법	วิธีการใช้หนังสือเล่มนี้	Cách sử dụng sách
漢字の書き方 XIII	Basic rules for writing Kanji	汉字的写法 漢字的寫法	한자 쓰는 방법	วิธีการเขียนตัวอักษรคันจิ	Cách viết chữ Hán
部首 XIII	The radicals	部首	부수	ส่วนประกอบของตัวอักษรคันจิ	bộ thủ
漢字のなりたち XIV	Origin of Kanji	汉字的形成过程 漢字的形成過程	한자 기원	ต้นกำเนิดของตัวอักษรคันจิ	Nguồn gốc chữ Hán
漢字 2	Kanji	汉字　漢字	한자	ตัวอักษรคันจิ	Chữ Hán
問題 95	Quiz	试题　試題	문제	คำถาม	Bài tập
こたえ 181	Answers	解答	해답	คำตอบ	Đáp án
さくいん 186	Index	索引	색인	ดัชนี	Chỉ mục

本書で扱う漢字 (Kanji)

〈上〉Vol.1

一 二 三 四 五 六 七 八 九 十 百 千	2
日 本 人 中 国 田 門 紙	4
何 先 生 校 手 受 水	6
時 計 辞 書 社 紙 昼	8
糸 万 円 会 火 水 昼	10
付 教 室 月 朝 後	12
木 金 土 曜 前 休	14
晩 夜 今 午 働 帰	16
毎 半 分 起 来 去	18
終 勉 強 行 年 機	20
歩 友 達 週 飛 読	22
名 病 院 駅 聞 映	24
電 車 気 見 習 肉	26
食 飲 買 実 馬 兄	28
画 写 真 牛 母 主	30
魚 茶 酒 父 族 修	32
姉 弟 妹 家 切 高	34
子 内 借 貸 小 寒	36
理 英 語 大 暑 白	38
低 安 新 古 赤 町	40
熱 冷 悪 青 花 痛	42
黒 親 有 山 頭 料	44
元 宿 題 間 字 右	46
歌 音 楽 薬 上 園	48
好 全 鳥 下 公 筆	50
左 男 女 外 箱 船	52
図 使 館 竹 汽 階	54
庭 銀 地 鉄 台 店	56
漢 荷 物 回 天 温	58
雨 雪 雲 空 暖 送	60
多 少 遠 近 入 呼	62
早 速 旅 出 話 号	64
遊 欲 結 言 番 消	66
取 覚 急 伝 売 身	68
方 線 塩 立 待 委	70
作 開 閉 持 場 府	72
知 仕 事 工 都 州	74
員 住 所 戸 村 歯	76
県 区 市 郡 鼻 明	78
力 口 目 耳 短 浴	80
顔 足 体 長 乗 返	82
暗 重 軽 広 止 転	84
心 配 残 念 運 初	86
絵 泳 練 始 礼	88
刀 弓 矢 失	90

〈下〉Vol.2

笛 農 植 算 放 笑 毛 望 丁 板 葉 央 光 変 迷 康 史 童 席 宮 育 秒
由 麦 登 答 追 式 羊 希 息 坂 湖 預 量 星 法 健 歴 児 最 里 才 柱
油 米 豆 集 玉 死 羽 因 犬 反 係 夫 倍 陽 管 助 炭 章 様 谷 級 昭
石 材 根 祝 球 負 虫 原 個 招 要 林 太 察 進 燃 化 王 私 等 昔 堂
成 産 草 業 野 勝 鳴 合 客 神 参 必 森 細 緑 常 路 文 詩 申 他 深 飯
完 官 畑 商 数 投 泣 正 関 寺 曲 季 美 厚 非 屋 代 記 別 祭 浅 特
意 不 願 信 京 調 直 具 向 流 貝 品 定 捨 備 和 港 測 皮 第 表 池 例
思 問 着 動 東 形 続 道 声 波 氷 色 両 拾 準 平 予 決 治 指 守 点 種 対
同 質 服 自 札 案 考 究 角 海 島 組 皿 落 引 福 冬 課 横 首 走 次 以 単
君 通 局 束 橋 北 説 研 械 川 岸 当 験 類 周 幸 秋 発 者 血 整 序 列 活
焼 交 利 約 悲 南 連 界 湯 打 岩 弱 試 帳 庫 労 夏 談 医 科 注 順 面 想
度 役 便 部 味 西 節 世 夕 側 洋 風 選 期 倉 苦 春 相 命 晴 用 解 丸 感

付録	Appendix	附录　附錄	부록	ภาคผนวก	Phụ lục
1. 数字の読み方	How to read numbers	数字的读法 數字的讀法	숫자의 읽는 법	วิธีการอ่านตัวเลข	Cách đọc số
2. 時を表すことば	Words which express time	表示时间的言词 表示時間的言詞	시간을 나타내는 말	คำแสดงเวลา	Biểu thị thời gian
3. 特別な読み方	Exceptions	特别的读法 特別的讀法	특별한 읽는 방법	วิธีการอ่านแบบเฉพาะ	Cách đọc đặc biệt
4. 助数詞	(Josūshi is a grammatical term which expresses the number of objects and living things.)	量词　量詞 (如:～张,～台等) (如:～張,～臺等)	조수사 (사물을 셀 때 어떤 종류의 것인가를 나타내는 접미어)	คำลักษณะนาม	Cách đếm

はじめに

　本書は、初級・初中級レベルの日本語学習者を対象に、555字の漢字を、毎日2ページ(6字)ずつ学習し、読み書きのワークシートを練習することにより、約3カ月(学校で漢字教材として使用される場合は、約6カ月)で習得できるように作りました。

　漢字の語彙例には、英語・中国語(簡体字・繁体字)・韓国語・タイ語・ベトナム語の訳を付け、自習用として本書を使用できるようにし、例文は初級用教科書で扱う語彙・文型に沿うよう配慮しました。したがって(上)の例はすべて丁寧体に、(下)の例はすべて普通体になっています。

　また、参考として、漢字の書き方、部首、漢字のなりたちを巻頭に、(下)の巻末には、助数詞の読み方を添付しました。

　なお、提出漢字555字は、主な初級用の教科書に提出されている漢字および小学3年次までに習うべき漢字を基礎として、初級・初中級段階(日本語能力試験N5・N4・N3)で必要と思われる基礎的な漢字を中心に選出しました。

本書の使い方

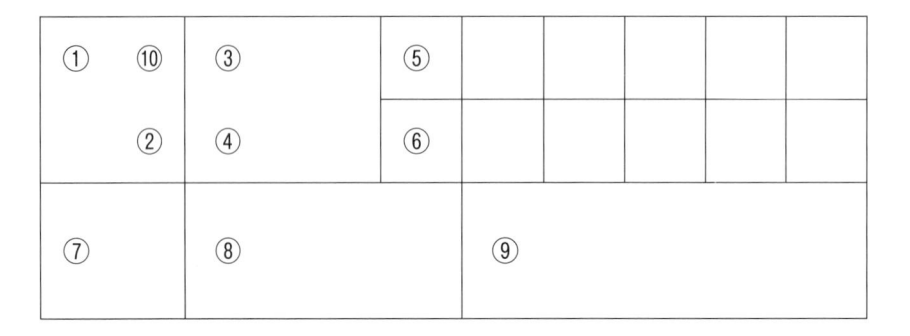

① ⑩	③	⑤			
②	④	⑥			
⑦	⑧	⑨			

①通し番号　②画数　③訓読み　④音読み　⑤書き順　⑥練習枠　⑦例　⑧訳　⑨例文
⑩日本語能力試験N3〜N5を表示
　　ただし、出題基準が公表されていないので、アルク『改訂版　日本語能力試験　漢字ハンドブック』を参考にした。

注意　1. 訓読みはひらがな、音読みはカタカナで書いてあります。
　　　2. ( )の中の読み方は、本書では例文として取り上げていません。
　　　3. 読み方は、初級・初中級レベルで必要と思われるものだけを取り上げました。
　　　4. ＊は　特殊な読み方を表します。
　　　5. 日本語と英語・中国語・韓国語・タイ語・ベトナム語のニュアンスが一致していないものや、使い方の異なるものには、例文にも訳をつけました。

Introduction

This book is designed to teach beginning and early intermediate students 555 kanji characters. By studying two pages per day, the book usually takes 3 months to complete. (When used in the classroom, the book takes about 6 months to finish).

English, traditional Chinese, simplified Chinese, Korean, Thai and Vietnamese translations are included, enabling students to study kanji independently. All of the sample sentences in this book are geared towards beginning students. Therefore, the sample words in Vol. 1 are written in polite style while the sample words in Vol. 2 are in plain style.

For reference purposes, the following are included at the beginning of this book: basic rules for writing kanji, the radicals on which kanji are based on, and the origin of kanji. Additionally, an appendix containing explanations on how to count various objects and living things can be found at the end of the book.

The 555 kanji in this book are typical of those found in the Japanese Language Proficiency Test level N5, N4 and N3. They were selected from kanji that commonly appear in elementary-level Japanese textbooks and kanji that Japanese students are required to learn by their third year of primary school.

How to use this book

①	⑩	③		⑤					
	②		④	⑥					
⑦			⑧		⑨				

① Sequential number   ② Number of strokes
③ "Kun" reading—Japanese-derived pronunciation
④ "On" reading—original Chinese pronunciation
⑤ Stroke order   ⑥ Space for students to practice   ⑦ Sample words
⑧ Translation   ⑨ Sample sentences
⑩ Japanese Language Proficiency Test level (N5—N3)

Since the official test standard of the new JLPT has not been released, the level equivalency of each kanji is made by reference to the information in "Japanese Language Proficiency Test Kanji Handbook - New edition" published by ALC.

Notes   1. "Kun" readings are written in Hiragana form.
"On" readings are written in Katakana form.
2. There are no sample words for readings placed in parentheses.
3. Sample words that are important for beginning and early intermediate students are presented.
4. ∗ indicates an exceptional pronunciation.
5. In cases where students may not be able to comprehend a sample sentence due to nuances and usage that are unique to the Japanese language, translations (English, Chinese, Korean, Thai and Vietnamese) are included.

序 文：(中・简体字)

本书是以初级，中下级程度的学习日语的学生为对象，共收555个汉字。依照每天学二页（六个字）练习读写的作业图表，大约需要3个月（如果学校作为汉字教材，大约需要6个月）就能全部学会而编成。

关于汉字的词汇例都注上英文・中文（简体字・繁体字）・韩语・泰语・越南语的翻译，因此本书可作为自习使用。例句则是依据初级用教科书的语汇，句型而加以整理精心作成。因此上册的例句都使用敬体，下册的例句都使用普通体。

另外，作为参考上册卷首附有汉字写法、部首、汉字的形成过程，下册卷末附有量词的读法。

本书所选的555个汉字是参照主要初级用教科书所选用的汉字及小学3年级为止必须掌握的汉字为基础，选出了初级，中下级阶段（日语能力考试N5，N4，N3）必须具备的基本汉字。

本书的使用方法

①	⑩	③		⑤				
		②	④	⑥				
⑦		⑧		⑨				

①编号　　②笔划数　　③训读(日语原有的发音)　　④音读(由中国传来的发音)
⑤笔划顺序　　⑥练习栏　　⑦例子　　⑧翻译　　⑨例句
⑩表示 日语能力考试N3～N5
　　因为出题基准没有公开，以『改定版　日本語能力試験　漢字ハンドブック』为参考。

注意　1. 训读用平假名，音读用片假名写。

　　　2. （　）中的读法在本书中没有举例提出。

　　　3. 读法只限于可能是初级，中下级程度所必要的范围才举例。

　　　4. ＊为特殊的读法的表示。

　　　5. 关于日语和英文，中文，韩语，泰语或越南语的微妙差异及使用方法的差异表示例句的译文。

序 文（中：繁體字）

本書是以初級,中下級程度的學習日語的學生為對象,共收555個漢字。依照每天學二頁(六個字)練習讀寫的作業圖表,大約需要3個月(如果學校作為漢字教材,大約需要6個月)就能全部學會而編成。

關于漢字的詞彙例都註上英文・中文・(簡體字・繁體字)韓語・泰語・越南語的翻譯,因此本書可作為自習使用。例句則是依據初級用教科書的語彙,句型而加以整理精心作成。因此上冊的例句都使用敬體,下冊的例句都使用普通體。

另外,作為參考上冊捲首附有漢字寫法、部首、漢字的形成過程,下冊捲末附有量詞的讀法。

本書所選的555個漢字是參照主要初級用教科書所選用的漢字及小學3年級為止必須掌握的漢字為基礎,選出了初級,中下級階段(日語能力考試N5,N4,N3)必須具備的基本漢字。

本書的使用方法

①	⑩	③		⑤				
	②		④	⑥				
⑦		⑧		⑨				

①編號　　②筆劃數　　③訓讀(日語的原有的發音)　　④音讀(由中國傳來的發音)
⑤筆劃順序　　⑥練習欄　　⑦例子　　⑧翻譯　　⑨例句
⑩表示 日語能力考試N3～N5
　　因為出題基準沒有公開,以『改定版　日本語能力試驗　漢字ハンドブック』為參考。

注意　1. 訓讀用平假名,音讀用片假名寫。
　　　2.（　）中的讀法　在本書中沒有舉例提出。
　　　3. 讀法只限於可能是初級,中下級程度所必要的範圍才舉例。
　　　4. ＊為特殊的讀法的表示。
　　　5. 關於日語和英文,中文,韓語,泰語或越南語的微妙差異及使用方法的差異表示例句的譯文。

처음으로

본서는 초급·초중급레벨의 일본어 학습자를 대상으로 555자의 한자를 매일 2페이지(6자)씩 학습하고, 읽고 쓰기의 워크시트를 연습하므로, 약 3개월(학교에서 한자교재로서 사용할 경우는 6개월)로 습득할 수 있도록 만들었습니다.

한자의 어휘예에는 영어, 중국어(간체자·번체자), 한국어, 태국어, 베트남어의 번역을 붙여, 자습용으로써 본서를 사용할 수 있도록 했고, 예문은 초급용 교과서에서 취급하는 어휘·문형에 따르도록 고려했습니다. 따라서 (상)의 예는 전부 정중체로, (하)의 예는 전부 보통체로 되어 있습니다.

또 참고로써 한자 쓰는 방법, 부수, 한자의 성립을 책의 첫머리에, 책의 맨 끝부분에는 조수사의 읽는 방법을 첨부했습니다.

제출한자 555자는 주로 초급용 교과서에 제출되고 있는 한자 및 일본초등학교 3학년까지 배워야하는 한자를 기초로, 초급·초중급단계(일본어능력시험N5, N4, N3)에서 필요하다고 생각되는 기본적인 한자를 중심으로 선출했습니다.

본서의 사용 방법

① ⑩	③	⑤				
②	④	⑥				
⑦	⑧	⑨				

①일련번호 ②획수 ③훈독 ④음독 ⑤쓰는 순서 ⑥연습 칸 ⑦예 ⑧해설 ⑨예문 ⑩일본어능력시험N3~N5를 표시

단, 출제기준이 공표되어 있지 않으므로, ALC『개정판 일본어능력시험 한자핸드북』을 참고로 함.

주의
1. 훈독은 히라가나, 음독은 카타카나로 적혀 있습니다.
2. ( )안의 읽는 방법은, 본서에서는 예문으로서 채택하고 있지 않습니다.
3. 읽는 방법은 초급·초중급레벨에서 필요하다고 생각되는 것만 채택했습니다.
4. *는 특수하게 읽는방법을 뜻합니다.
5. 일본어와 영어·중국어·한국어·태국어·베트남어 등의 뉘앙스가 일치하지 않는 것이나 사용법이 다른 것에는 예문에도 번역을 붙였습니다.

คำนำ

หนังสือคันจิเล่มนี้ถูกจัดทำขึ้นเพื่อผู้เรียนภาษาญี่ปุ่นชั้นต้นและชั้นกลางตอนต้นโดยมีตัวอักษรคันจิทั้งหมด 555 ตัวอักษร ใช้เรียนวันละ 2 หน้า (6 ตัวอักษร) ใช้ระยะเวลาประมาณ 3 เดือน (แต่หากใช้เป็นตำราประกอบการเรียนชั้นต้นในโรงเรียนจะใช้ระยะเวลาประมาณ 6 เดือน)

สำหรับตัวอย่างการใช้ของตัวอักษรคันจิ จะมีคำแปลภาษาอังกฤษ, ภาษาจีน, ภาษาเกาหลี, ภาษาไทย และภาษาเวียดนามประกอบอยู่เพื่อให้ผู้เรียนในแต่ละชาติสามารถศึกษาด้วยตัวเองได้ สำหรับประโยคตัวอย่างประกอบจะแต่งขึ้นโดยใช้คำศัพท์และรูปประโยคที่อ้างอิงจากตำราภาษาญี่ปุ่นชั้นต้นเป็นหลัก ซึ่งประโยคตัวอย่างในพาร์ทแรกจะใช้รูปสุภาพและพาร์ทหลังจะใช้รูปธรรมดา

และเพื่อให้นักเรียนสามารถใช้อ้างอิงได้เพิ่มเติม ในหนังสือพาร์ทหลังจะเพิ่มวิธีการอ่านคำลักษณนามให้ด้วย

อนึ่ง ตัวอักษรคันจิ 555 ตัวอักษรที่ทำการคัดเลือกออกมานั้นเป็นคันจิชั้นต้นและชั้นกลางตอนต้นที่นักเรียนชาวญี่ปุ่นใช้เรียนจนถึงระดับชั้นประถมศึกษาปีที่ 3 ซึ่งเป็นคันจิพื้นฐานที่ควรรู้ (ระดับเทียบเท่ากับการสอบวัดระดับภาษาญี่ปุ่น N5, N4, N3)

วิธีการใช้หนังสือเล่มนี้

① ลำดับตัวเลข　　② จำนวนเส้น　　③ เสียงอ่านแบบญี่ปุ่น　　④ เสียงอ่านแบบจีน
⑤ ลำดับการเขียน　　⑥ กรอบการฝึก　　⑦ ตัวอย่าง　　⑧ คำแปล　　⑨ ประโยคตัวอย่าง
⑩ แสดงถึงข้อสอบวัดระดับภาษาญี่ปุ่น N3-N5

เนื่องจากแนวทางและพื้นฐานในการออกข้อสอบยังไม่มีการเปิดเผยอย่างเป็นทางการ จึงได้ทำการอ้างอิงโดยใช้หนังสือ Kanji Handbook ของสำนักพิมพ์ ALC ฉบับปรับปรุงใหม่ เป็นหลัก

คำเตือน
1. เสียงอ่านแบบญี่ปุ่นจะใช้ตัวอักษร Hiragana ส่วนเสียงอ่านแบบจีนจะใช้ตัวอักษร Katakana
2. เสียงอ่านในวงเล็บ ( ) ในหนังสือเล่มนี้จะไม่ได้ยกประโยคตัวอย่างให้
3. เสียงอ่านจะหยิบยกขึ้นมาเฉพาะที่จำเป็นต่อผู้เรียนในระดับชั้นต้นและชั้นกลางตอนต้นเท่านั้น
4. เครื่องหมาย ∗ จะแสดงถึงวิธีการอ่านแบบเฉพาะ
5. สำหรับวิธีการใช้คำและการแปลที่มีความหมายต่างกันในภาษาญี่ปุ่น, จีน, เกาหลี, ไทยและเวียดนาม จะมีคำแปลในประโยคตัวอย่างให้ด้วย

XI

Phần mở đầu

Chúng tôi viết sách này cho các sinh viên sơ cấp – sơ trung cấp tiếng Nhật học 555 chữ Hán bằng cách học 2 trang (6 chữ) mỗi ngày, luyện tập viết và đọc chữ Hán trong khoảng 3 tháng (nếu sử dụng làm tài liệu trong trường cho học sinh thì mất khoảng 6 tháng).

Chúng tôi dịch các chữ Hán dùng làm ví dụ sang các ngôn ngữ, tiếng Anh, tiếng Trung Quốc, tiếng Hàn Quốc, tiếng Thái Lan và tiếng Việt cho các bạn tự học. Chúng tôi lưu tâm đến những ví dụ phù hợp với từ và ngữ pháp sơ cấp. Cho nên các ví dụ trong sách I được viết bằng thể lịch sự, trong sách II được viết bằng thể thông thường.

Ngoài ra, để tham khảo, phần đầu sách này chúng tôi cho đăng cách viết chữ Hán và nguồn gốc chữ..., phần cuối sách II chúng tôi đăng cách đếm các đồ vật.

Chúng tôi chọn 555 chữ Hán cơ sở và cần thiết trong lớp sơ cấp – sơ trung cấp (ứng với trình độ tiếng Nhật trong kỳ thi JLPT N5, N4, N3), được lấy từ sách sơ cấp chính mà học sinh người Nhật học đến hết lớp 3 trong trường tiểu học.

Cách sử dụng sách

①	⑩	③	⑤			
	②	④	⑥			
⑦		⑧		⑨		

①**Số thứ tự**   ②**Số nét**   ③**Cách đọc âm Kun**   ④**Cách đọc âm Ôn**
⑤**Thứ tự nét**   ⑥**Khung tập viết**   ⑦**Ví dụ**   ⑧**Dịch nghĩa**   ⑨**Câu ví dụ**
⑩**Biểu thị trình độ thi JLPT N3~N5**

Chúng tôi tham khảo vào sách 『Chữ Hán thi JLPT bản in sửa lại, nhà xuất bản ALC』, vì chuẩn đề thi JLPT không được công bố.

Chú ý
1. Chúng tôi viết âm "kun" bằng chữ Hiragana và viết âm "ôn" bằng chữ katakana.
2. Chúng tôi không đăng các ví dụ cho từ có cách đọc trong ( ).
3. Chúng tôi chỉ đưa ra các cách đọc chữ Hán cần thiết trong lớp sơ cấp – sơ trung cấp.
4. * là cách đọc đặc biệt
5. Có sự khác biệt trong sắc thái biểu đạt giữa các ngôn ngữ (tiếng Nhật, tiếng Anh, tiếng Trung, tiếng Hàn, tiếng Việt), cách sử dụng, cũng như câu ví dụ.

漢字の書き方 Basic rules for writing Kanji

1. 左から右へ。
   A stroke goes from left to right.
   ニ 一 二 三

2. 上から下へ。
   A stroke goes from top to bottom.
   ト 川 十 中
   ハ 八 人 大

3. 左から右へ、それから下へ。
   A stroke goes from left to right, then down.
   フ 口 日 国

4. 上から下へ、それから右へ。
   A stroke goes from top to bottom, and then turns right.
   ㇄ 七 山 見

5. 3つの止め方。
   There are three different endings.

止める	stop
はらう	brush away
はねる	hook

   ニ 一 木 土
   人 人 火 十
   ム 九 水 手

部首 The radicals

1. へん 　イ　仕　休　何　付　　糸　紙　終　線

2. つくり 　阝　都　郡　部　郵　　力　動　勉　働

3. かんむり 　宀　安　字　実　家　　艹　草　花　英

4. あし 　儿　先　見　元　兄　　心　急　念　悪

5. たれ 　广　広　店　府　度　　疒　病　痛

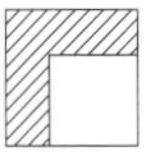

6. にょう 　辶　近　週　返　送

7. かまえ 　門　門　開　閉　間

   　口　回　国　図

漢字のなりたち　Origin of Kanji

漢字のなりたちには、いくつかの種類があります。
ものの形からできた漢字（象形文字）をいくつかあげておきます。

Kanji has several different origins. These are the examples of Kanji which come from the shape of things.

☀	→	⊙	→	日	→	日
						月
						火
						木
						山
						人
						目
						口
						手
						田

XIV

漢字

No.	Kanji	Readings	Stroke order practice
001	一 (1)	ひと / ひと-つ / -り / イチ・イツ / one / หนึ่ง/một	一
002	二 (2)	ふた / ふた-つ / -り / ニ / two / สอง/hai	一 二
003	三 (3)	み / みっ-つ / サン / three / สาม/ba	一 二 三
004	四 (5)	よ / よっ-つ / よん / シ / four / สี่/bốn	丨 冂 円 匹 四
005	五 (4)	いつ / いつ-つ / ゴ / five / ห้า/năm	一 丆 五 五
006	六 (4)	む / むっ-つ / むい* / ロク / six / หก/sáu	丶 亠 六 六

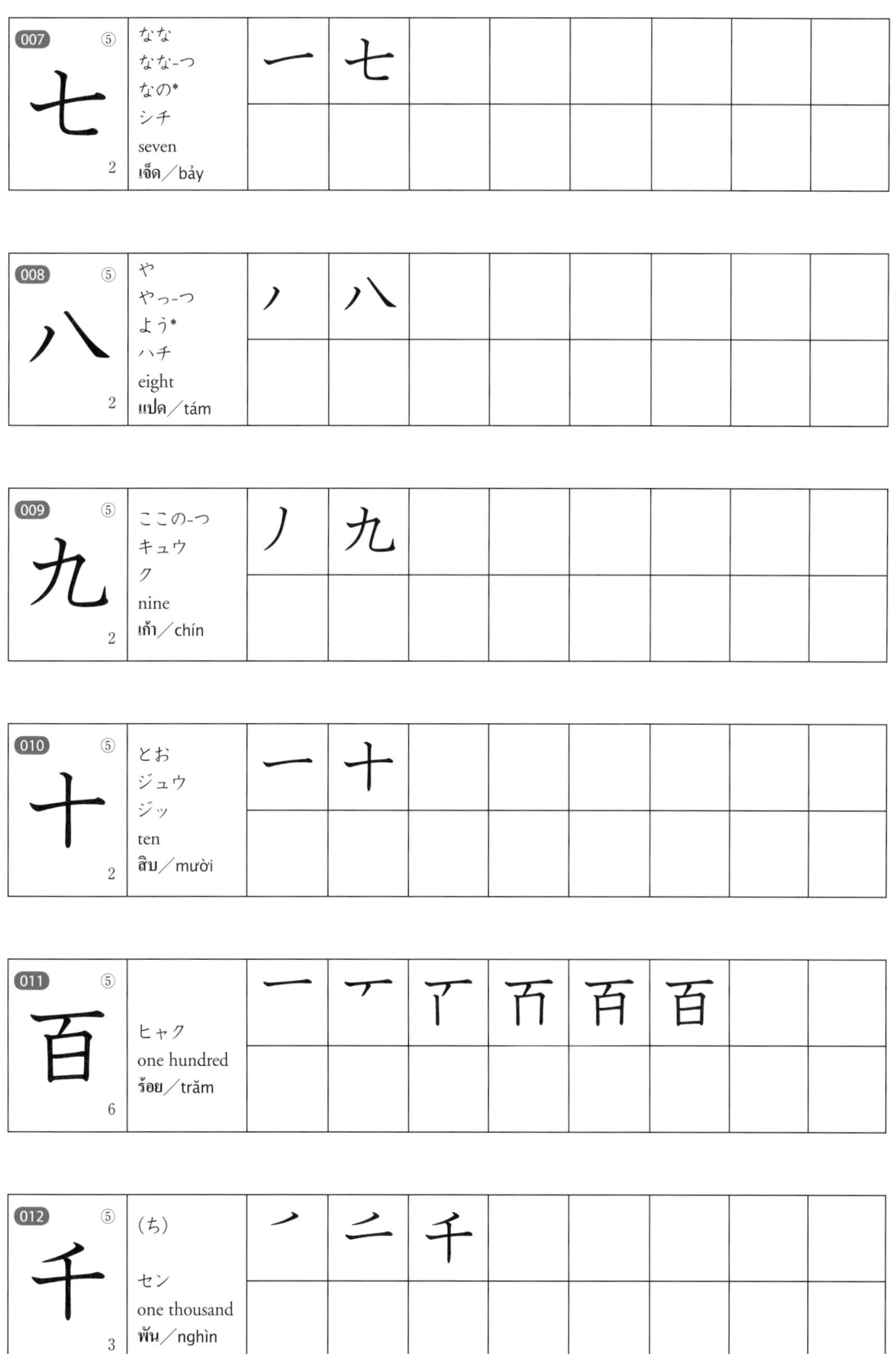

013 ⑤ 日 4	ひ か にち (ジツ)	丨 冂 日 日					
にほんじん 日本人*	Japanese national / 日本人 / 일본인 / คนญี่ปุ่น / người Nhật Bản	わたしは日本人です。					
にちようび 日曜日	Sunday / 星期日 星期天 / 일요일 / วันอาทิตย์ / chủ nhật	きょうは日曜日です。					
はは ひ 母の日	Mother's Day / 母亲节 母親節 / 어머니 날 / วันแม่ / ngày của mẹ	ことしの母の日は5月7日です。 ★(the seventh / 7日 / 칠일 / วันที่เจ็ด / ngày mùng 7)					

014 ⑤ 本 5	(もと) ホン	一 十 才 木 本					
ほん 本	book / 书 书本 書 書本 / 책 / หนังสือ / sách	これは本です。					
～ほん ～本	counter (long things) / ～枝 ～条 ～棵 ～根 ～只 (数细长东西)(數細長東西) / ～자루 / ～แท่ง (ดินสอ และอื่นๆ) / ～chiếc, ～cái, ～chai (đếm vật thon dài)	えんぴつが2本(3本・8本)あります。					

015 ⑤ 人 2	ひと ジン ニン	丿 人					
ひと 人	person / 人 / 사람 / คน / người	あの人は日本人ですか。					
ちゅうごくじん 中国人	Chinese national / 中国人 中國人 / 중국인 / คนจีน / người Trung Quốc	いいえ、中国人です。					
～にん ～人	counter (people) / ～人 / ～사람 / ～คน / ～người (đếm người)	田中さんは子どもが3人います。					

016 ⑤ 中 4	なか / チュウ	丶	口	口	中				

中国人 (ちゅうごくじん)	Chinese national / 中国人 中國人 / 중국인 / คนจีน / người Trung Quốc	ヤンさんは中国人です。
中 (なか)	in/inside / 里面 裡面 裏面 / 안, 중 / ใน / ở trong, trong	つくえの中に何がありますか。
一日中 (いちにちじゅう)	all day / 一整天 / 하루종일 / ตลอดวัน / suốt cả ngày	きのうは一日中勉強しました。

017 ⑤ 国 8	くに / コク	丨	冂	冂	冂	用	国	国	国

中国 (ちゅうごく)	China / 中国 中國 / 중국 / ประเทศจีน / Trung Quốc	中国は大きい国です。
国 (くに)	country / 国家 國家 / 나라 / ประเทศ / quốc gia, đất nước	アメリカも大きい国です。
韓国 (かんこく)	South Korea / 韩国 韓國 / 한국 / เกาหลีใต้ / Hàn Quốc	リーさんは韓国から来ました。

018 ④ 田 5	た / (デン)	丨	冂	冂	用	田			

田中 (たなか)	Tanaka (a Japanese surname) / 田中 / (日本人的姓) / 타나카 (일본인의 성씨) / ทะนะกะ (นามสกุลของคนญี่ปุ่น) / Tanaka (tên người)	わたしは田中です。
山田さん (やまだ さん)	Mr./Mrs./Miss Yamada / 山田先生・小姐 / 야마다씨 / คุณยะมะดะ / anh/chị Yamada	あの人は山田さんですか。
田 (た)	rice field / 田 田地 / 논 / นาข้าว / ruộng, đồng ruộng	田で米を作ります。

019 何 (7画) ⑤
なに / なん* / (カ)

筆順: ノ 亻 亻 亻 何 何 何

何歳（なんさい）	how old / 几岁 幾歲 / 몇살 / อายุเท่าไร / mấy tuổi?	ジョンさんは何歳ですか。
何（なん）	what / 什么 什麼 / 무엇 / อะไร / cái gì	あれは何ですか。
何（なに）	what / 什么 什麼 / 무엇 / อะไร / cái gì	あしたは何をしますか。

020 先 (6画) ⑤
さき / セン

筆順: ノ 一 牛 生 _先 先

先生（せんせい）	teacher / 老师 老師 / 선생님 / คุณครู, อาจารย์ / giáo viên, thầy giáo, cô giáo	メアリーさんは先生です。
先に（さきに）	first of all / go ahead / 先（做…）/ 먼저 / ก่อน / trước	「どうぞお先に。」 ★（请先做 請先做 / เชิญก่อน / tiến lên, thẳng tiến）

021 生 (5画) ⑤
い-きます / う-まれます / (なま) / セイ / ショウ

筆順: ノ 一 牛 牛 生

学生（がくせい）	student / 学生 學生 / 학생 / นักเรียน / sinh viên	わたしは学生です。
誕生日（たんじょうび）	birthday / 生日 / 생일 / วันเกิด / sinh nhật	誕生日は3月19日です。
生きます（いきます）	to live / 活 / 삽니다 / มีชีวิต / sống	わたしは100歳まで生きたいです。
生まれます（うまれます）	to be born / 出生 / 태어납니다 / เกิด / sinh ra, được sinh ra	わたしはパリで生まれました。

022 学 (まな-びます) / ガク — 8画 ⑤

Stroke order: 丶 丷 ⺍ ⺌ 学 学 学

学生 (がくせい)	student / 学生 學生 / 학생 / นักเรียน / sinh viên, học sinh	パクさんも学生です。
学校 (がっこう)	school / 学校 學校 / 학교 / โรงเรียน / trường học	あれは学校です。
小学校 (しょうがっこう)	elementary school / 小学 小學 / 초등학교 / โรงเรียนประถมศึกษา / trường tiểu học, trường cấp 1	リンダさんは小学校の先生です。

023 校 — コウ — 10画 ⑤

Stroke order: 一 十 十 木 木 术 杧 栌 杦 校

学校 (がっこう)	school / 学校 學校 / 학교 / โรงเรียน / trường học	あの人は学校の先生ですか。
中学校 (ちゅうがっこう)	junior high school / 初中 中学 中學 / 중학교 / โรงเรียนมัธยมต้น / trường cấp hai	あれは中学校ですか。いいえ高校です。
高校生 (こうこうせい)	high school student / 高中生 / 고등학생 / นักเรียนมัธยมปลาย / học sinh cấp ba	弟は高校生です。

024 門 (かど) / モン — 8画 ④

Stroke order: 丨 冂 冂 冂 冃 門 門 門

| 専門 (せんもん) | speciality / 专门 专业 專門 專業 / 전문 / วิชาเอก / chuyên môn | わたしの専門はコンピューターです。 |
| 門 (もん) | gate / 门 門 / 문 / ประตู / cổng | あれは東京大学の門です。 |

025 時 (とき/ジ) 10画

筆順: 丨 冂 冂 日 日 昨 時 時 時

時計* (とけい)	watch/clock / 手表 时钟 表 手錶 時鐘 錶 / 시계 / นาฬิกา / đồng hồ	これはだれの時計ですか。
何時 (なんじ)	what time / 几点 幾點 / 몇 시 / กี่โมง / mấy giờ?	毎朝何時に起きますか。
時々 (ときどき)	sometimes / 经常 时常 經常 時常 / 때때로 / บางที / đôi lúc, đôi khi	時々 映画を見ます。

026 計 (はか-ります/ケイ) 9画

筆順: 丶 二 ニ 言 言 言 言 計

計ります (はかります)	to time/to measure / 计时 計時 / 잽니다 / วัด / đo	時間を計ります。
計算します (けいさん)	to calculate / 计算 計算 / 계산합니다 / คิดคำนวณ / tính toán	今 計算します。
計画します (けいかく)	to plan / 计划 計劃 / 계획을 세웁니다 / วางแผน / lập kế hoạch	旅行を計画します。

027 辞 (や-めます/ジ) 13画

筆順: 丿 二 千 千 舌 舌 舌 舌 舌 辞 辞 辞 辞

辞書 (じしょ)	dictionary / 字典 词典 詞典 / 사전 / พจนานุกรม / từ điển	これはわたしの辞書です。
辞めます (やめます)	to resign / 辞职 辭職 / 그만둡니다 / ลาออกจากงาน / nghỉ, bỏ	去年会社を辞めました。

028 書 (10)

か-きます / ショ

フ	ヲ	ヨ	ヨ	書	書	書	書
書	書						

書きます	to write / 写 寫 / 쓰다 / เขียน / viết	手紙を書きます。
書類	document / 資料 文件 資料 / 서류 / เอกสาร / giấy tờ	これは会社の書類です。
図書館	library / 图书馆 圖書館 / 도서관 / ห้องสมุด / thư viện	図書館はどこですか。

029 手 (4)

て / シュ

一	二	三	手				

切手	stamp / 邮票 郵票 / 우표 / แสตมป์ / tem	50円の切手を2枚ください。
手	hand / 手 / 손 / มือ / tay	手を洗います。
運転手	driver / 司机 司機 / 운전기사 / คนขับรถ / tài xế	わたしはタクシーの運転手です。

030 紙 (10)

かみ / シ

⼂	幺	幺	糸	糸	糸	紅	紙
紙	紙						

紙	paper / 纸 紙 / 종이 / กระดาษ / giấy	これは紙ですか。
手紙	letter / 信 / 편지 / จดหมาย / thư	それはあなたの手紙ですか。
用紙	form / 用紙 用紙 / 용지 / แบบฟอร์ม / mẫu giấy tờ	これは原稿用紙です。 ★ / composition paper / 稿紙 稿紙 / 원고지 / กระดาษสำหรับเขียนต้นฉบับ / tờ giấy mẫu

031 糸 ④

いと
(シ)
6

く	幺	幺	糸	糸	糸

| 毛糸 (けいと) | yarn / 毛线 毛線 / 털실 / ด้ายดิบ / len | これはオーストラリアの毛糸です。 |
| 糸 (いと) | thread/string / 线 線 / 실 / ด้าย / sợi chỉ | 糸を切ります。 |

032 万 ⑤

マン
(バン)
3

一	フ	万

| 1万円 (いちまんえん) | ten thousand yen / 一万日元 一萬日元 / 일만엔 / หนึ่งหมื่นเยน / 10 nghìn Yên, 1 vạn Yên | その時計は1万円です。 |
| 万一 (まんいち) | in case of emergency / 万一 萬一 / 만일 / กรณีฉุกเฉิน / khẩn cấp, vạn bất đắc dĩ | 万一の場合は、すぐ火を止めます。 ★ turn off the gas / 熄火 / 불을 끄다 / ดับไฟ / tắt lửa |

033 円 ⑤

エン
4

丨	冂	冂	円

| 4万円 (よんまんえん) | forty thousand yen / 四万日元 四萬日元 / 사만엔 / สี่หมื่นเยน / 40 nghìn Yên, 4 vạn Yên | このテレビは4万円です。 |
| 円 (えん) | yen / (日)元 / 엔 / เยน / đồng Yên Nhật | 円をドルに換えます。 ★ dollar / 美金 / 미국의 기본 통화 단위 / เหรียญสหรัฐฯ / đồng đô la Mỹ |

034 会 (6画) あ-います / カイ

Stroke order: ノ 𠆢 ㅅ 仝 会 会

会います	to meet / 会面 见面 會面 見面 / 만납니다 / พบ,เจอ / gặp gỡ	5時に新宿で会いませんか。
会議	conference/meeting / 会议 會議 / 회의 / ประชุม / hội nghị, cuộc họp	あした会議があります。
会話	conversation / 会话 會話 / 회화 / บทสนทนา / hội thoại	会話のクラスです。

035 社 (7画) シャ

Stroke order: ` ラ ネ ネ ネ 社 社

会社	company / 公司 / 회사 / บริษัท / công ty	あれは時計の会社です。
会社員	office worker / 公司职员 公司職員 / 회사원 / พนักงานบริษัท / nhân viên công ty	わたしは会社員です。
社長	president of a company / 老板 总经理 老闆 總經理 / 사장 / ประธานบริษัท / giám đốc	社長は大阪へ行きます。

036 受 (8画) う-けます / -かります / (ジュ)

Stroke order: 一 ⺈ ⺈ 爫 爫 爫 受 受

受付*	reception desk / 服务台 服务处 服務台 服務處 / 접수처 / โต๊ะพนักงานต้อนรับ / lễ tân	受付は2階です。
受けます	to take / 接受 / 받습니다 / รับ,เข้าสอบ / nhận, dự (kỳ thi)	漢字のテストを受けます。 ★ take an examination / 考试 考試 / 시험을 봅니다 / เข้าสอบ / làm bài kiểm tra

037 ③ 付 5	つ-けます -きます (フ)	ノ	イ	仁	付	付			

^{うけつけ}受付*	reception desk / 服务台 服務台 / 접수처 / โต๊ะพนักงานต้อนรับ / lễ tân	^{うけつけ}受付はどこですか。
^つ付けます	to put on/to apply / 涂 塗 / 바릅니다 / ใส่, ติด, ทา(ยา) / bôi, nhỏ (thuốc); đánh dấu, đính vào	^{くすり}薬を付けます。 ★(ทายา)
^つ付きます	to stick/attach to / 有 / 납니다 / ติด / bám vào, có, kèm theo	この机は傷が付きません。 ★ not get damaged / 没有伤痕 沒有傷痕 / 흠이 나지 않습니다 / ไม่เป็นรอย / không có vết xước

038 ④ 教 11	おし-えます (おそ-わります)	一	十	土	耂	耂	考	孝	孝
	キョウ	孝	教	教					

^{きょうしつ}教室	classroom / 教室 / 교실 / ห้องเรียน / lớp học	^{きょうしつ}教室はどこですか。
^{きょうかしょ}教科書	textbook / 课本 教科书 課本 教科書 / 교과서 / หนังสือเรียน / sách giáo khoa	これは教科書です。
^{おし}教えます	to teach / 教 教授 / 가르칩니다 / สอน / dạy	リーさんに^{にほんご}日本語を^{おし}教えます。

039 ④ 室 9		'	''	宀	宀	宏	宏	宏	室
	シツ	室							

^{きょうしつ}教室	classroom / 教室 / 교실 / ห้องเรียน / lớp học	^{きょうしつ}教室にだれがいますか。
^{かいぎしつ}会議室	conference room / 会议室 會議室 / 회의실 / ห้องประชุม / phòng họp, phòng hội nghị	^{かいぎしつ}会議室はどこですか。

040 月 ⑤ 4	つき ゲツ ガツ	ノ	刀	月	月				

げつようび 月曜日	Monday / 星期一 / 월요일 / วันจันทร์ / thứ hai	げつようび はたら 月曜日 働きますか。
いっ げつ 1か月	one month / 一个月 一個月 / 일개월,한달 / หนึ่งเดือน / 1 tháng	いっ げつべんきょう 1か月勉強しました。
いちがつ 1月	January / 一月 / 일월 / เดือนมกราคม / tháng 1	たんじょうび いちがつみっか 誕生日は1月3日です。
つき 月	the moon / 月亮 / 달 / ดวงจันทร์ / trăng	こん や つき 今夜は月がきれいです。

041 火 ⑤ 4	ひ カ	、	ハ	少	火				

かようび 火曜日	Tuesday / 星期二 / 화요일 / วันอังคาร / thứ ba	く がつむい か かようび 9月6日は火曜日です。
ひ 火	fire / 火 / 불 / ไฟ / lửa	ひ たばこに火をつけます。

042 水 ⑤ 4	みず スイ	ノ	オ	才	水				

すいようび 水曜日	Wednesday / 星期三 / 수요일 / วันพุธ / thứ tư	く がつなの か すいようび 9月7日は水曜日です。
みず 水	water / 水 / 물 / น้ำ / nước	みず の 水を飲みます。
すいえい 水泳	swimming / 游泳 / 수영 / ว่ายน้ำ / bơi lội	すいえい なら 水泳を習います。

13

043 ⑤ 木 4	き モク (ボク)	一	十	才	木				

木曜日	Thursday / 星期四 / 목요일 / วันพฤหัสบดี / thứ năm	9月8日は木曜日です。
木	tree / 树 樹 / 나무 / ต้นไม้ / cây	庭に木があります。

044 ⑤ 金 8	かね キン	ノ	𠆢	亼	今	仐	牟	余	金

金曜日	Friday / 星期五 / 금요일 / วันศุกร์ / thứ sáu	金曜日 勉強しますか。
お金	money / 钱 錢 / 돈 / เงิน / tiền	お金がありません。
金	gold / 金 / 금 / ทอง / vàng	金の時計をもらいました。

045 ⑤ 土 3	つち ド (ト)	一	十	土					

土曜日	Saturday / 星期六 / 토요일 / วันเสาร์ / thứ bảy	土曜日 休みますか。
土	soil / 土 泥土 / 흙 / ดิน / đất	土の中に虫がいます。
お土産*	souvenir/present / 土产 礼物 土特产 土産 禮物 土特產 / 선물 / ของฝาก / quà, quà lưu niệm	京都でお土産を買います。

14

046 曜 18	ヨウ	日 →p.4	日'	日ㅋ	日ㅋ	日ㅋㄱ	日ㅋㅋ	日ㅋㅋ	日ㅋㅋ
		日ㅋㅋ	日ㅋㅋ	日ㅋㅋ	曜	曜	曜	曜	

日曜日	Sunday / 星期天 星期日 / 일요일 / วันอาทิตย์ / chủ nhật	日曜日　映画を見ます。
何曜日	what day of the week / 星期几 星期幾 / 무슨 요일 / วันอะไร / thứ mấy?	きょうは何曜日ですか。

047 朝 12	あさ チョウ	一	十	十	古	古	古	直	卓
		朝	朝	朝	朝				

朝	morning / 早晨 / 아침 / ตอนเช้า / buổi sáng	きのうの朝　6時に起きました。
毎朝	every morning / 每天早 每天早上 / 매일 아침 / ทุกเช้า / mỗi sáng	毎朝7時に起きます。
朝食	breakfast / 早饭 早飯 / 아침식사 / อาหารเช้า / cơm sáng	朝食は9時からです。

048 昼 9	ひる チュウ	一	コ	尸	尺	尺	尽	昼	昼
		昼							

昼	noon / 中午 / 낮 / เที่ยง, กลางวัน / buổi trưa	昼　12時から1時まで休みます。
昼ごはん	lunch / 午饭 午飯 / 점심 / ข้าวเที่ยง / cơm trưa	昼ごはんを食べます。
昼食	lunch / 午饭 午飯 / 점심 / อาหารกลางวัน, อาหารเที่ยง / cơm trưa	昼食は12時からです。

049 晩 バン (12)

	丨	冂	月	日	日'	日″	昤
晗	晚	晚	晩				

まいばん 毎晩	every night / 毎天晩上 / 매일 밤 / ทุกคืน / mỗi tối	毎晩　11時に寝ます。
ばん 晩ごはん	dinner / 晚饭 晚飯 / 저녁식사 / อาหารเย็น / cơm tối	きのう、晩ごはんを食べませんでした。
こんばん 今晩	this evening / 今晚 / 오늘밤 / คืนนี้, เย็นนี้ / tối nay	今晩　勉強しますか。

050 夜 よる／よ／ヤ ④ (8)

丶	亠	广	疒	夵	夜	夜	夜

よる 夜	night / 晚上 / 밤 / กลางคืน, ค่ำคืน / đêm	わたしは夜　10時半に寝ます。
よなか 夜中	midnight / 半夜 / 한밤중 / กลางคืน / nửa đêm	夜中に地震がありました。
こんや 今夜	tonight / 今晚 / 오늘밤 / คืนนี้ / đêm nay, tối nay	今夜は寒いです。

051 今 いま／コン ⑤ (4)

ノ	人	人	今

いま 今	now / 现在 現在 / 지금 / ตอนนี้ / bây giờ	今　何時ですか。
こんげつ 今月	this month / 这个月 本月 這個月 / 이달 / เดือนนี้ / tháng này	今月　国へ帰ります。
こんど 今度	the next time / 下次 这一次 這一次 / 이번 / ครั้งหน้า / lần tới	今度の日曜日　新宿へ行きます。

16

052 ⑤ 午 4	ゴ	ノ	ニ	二	午				

午前 ごぜん	a.m./morning / 上午 / 오전 / ก่อนเที่ยง, เช้า / sáng, buổi sáng	午前6時に起きました。
午前中 ごぜんちゅう	in the morning / 上午 / 오전중 / ตอนเช้า, เวลาก่อนเที่ยง, เวลาเช้า / cả buổi sáng	午前中 勉強します。
午後 ごご	p.m./afternoon / 下午 / 오후 / ตอนบ่าย / buổi chiều	午後 働きます。

053 ⑤ 前 9	まえ (ゼン)	丶	丷	䒑	广	亣	䒑	肯	前
		前							

前 まえ	in front of / 前面 / 앞 / ข้างหน้า / trước	学校の前に会社があります。
名前 なまえ	name / 名字 / 이름 / ชื่อ / tên	ここに名前を書きます。
9時前に くじまえに	before 9 o'clock / 9点以前 9点之前 9點以前 9點之前 / 9시전에 / ก่อนเก้าโมง / trước 9 giờ	9時前に会社へ行きます。

054 ⑤ 後 9	(のち) うし-ろ あと ゴ (コウ)	ノ	ク	彳	彳	㣲	㣳	後	
		後							

午後 ごご	p.m./afternoon / 下午 / 오후 / ตอนบ่าย / buổi chiều	午後は何をしますか。
後ろ うしろ	behind / 后面 後面 / 뒤 / ข้างหลัง, ข้างท้าย / phía sau	トムさんはリンダさんの後ろにいます。
後で あとで	later / 稍后 随后 稍後 隨後 / 나중에 / ตอนหลัง, ทีหลัง / lát nữa, chốc nữa, sau	後で来ます。

055 毎 (6画) マイ

筆順: ノ 一 ㇰ 勹 勽 毎

毎日（まいにち）	every day / 每天 / 매일 / ทุกวัน / hàng ngày, mỗi ngày	毎日　1時から4時まで勉強します。
毎朝（まいあさ）	every morning / 每天早上 / 매일 아침 / ทุกเช้า / mỗi sáng	毎朝　バナナを食べます。
毎週（まいしゅう）	every week / 每周, 每个星期 每週 每個星期 / 매주 / ทุกอาทิตย์ / hàng tuần	毎週　土曜日、休みます。

056 半 (5画) ハン

筆順: 丶 丷 ⌵ 丷 半

8時半（はん）	eight thirty / 八点半 八點半 / 8시반 / แปดโมงครึ่ง / 8 rưỡi	8時半に起きました。
半分（はんぶん）	half / 一半 / 반 / ครึ่งหนึ่ง / một nửa	りんごを半分食べます。
半年（はんとし）	half year (6 months) / 六个月 半年 六個月 / 반년 / ครึ่งปี / nửa năm	半年日本語を勉強しました。

057 分 (4画) わ-けます (-かれます / -かります) ブン・フン・ブ

筆順: ノ 八 分 分

9時45分（ふん）	nine forty-five / 9点45分 9點45分 / 9시45분 / เก้าโมงสี่สิบห้านาที / 9 giờ 45 phút	9時45分から日本語を勉強します。
自分（じぶん）で	by oneself / 自己 / 자기 스스로 / ด้วยตัวเอง / tự mình	ひらがなは自分で勉強しました。
分（わ）けます	to divide / 分（成） / 나눕니다 / แบ่ง / chia	ケーキを半分に分けます。

058 起 (10) — お-きます / -こします / (キ)

Stroke order: 一 十 土 キ キ 走 走 起 起 起

- **起きます** — to get up / 起 起床 / 일어납니다 / ตื่นนอน / thức dậy
  - 7時に起きます。
- **起きます** — to happen / 发生(意外事件) 發生(意外事件) / 일어납니다 / เกิด / xảy ra
  - 地震が起きました。

059 働 (13) — はたら-きます / ドウ

Stroke order: ノ イ イ 亻 亻 仨 伫 佢 俥 俥 働 働 働

- **働きます** — to work / 工作 劳动 勞動 / 일합니다 / ทำงาน / làm việc
  - 9時から5時まで働きます。
- **労働** — labor/work / 工作 劳动 勞動 / 노동 / แรงงาน / lao động, làm việc
  - 労働時間は8時間です。

060 休 (6) — やす-みます / キュウ

Stroke order: ノ イ 亻 什 休 休

- **休みます** — to take a break / 休息 / 쉽니다 / พัก, หยุด / nghỉ, nghỉ ngơi
  - 12時から1時まで休みます。
- **休日** — holiday / 休假日 / 휴일 / วันหยุด, ฮอลิเดย์ / ngày nghỉ
  - 4月29日は休日です。

061 ③ 終 11	お-わります -えます シュウ	く	乡	乡	终	紟	絲	終	終
		終	終	終					

終わります	to finish/to end / 结束 結束 / 끝납니다 / จบ, เสร็จ / kết thúc, xong	会社は5時に終わります。
終電車	the last train / 末班车 末班車 / (그날 배차의)마지막 전차 / รถไฟขบวนสุดท้าย / chuyến tàu cuối	終電車は12時35分です。

062 ③ 勉 10	ベン	ノ	ク	乞	召	岙	岙	免	免
		勉	勉						

勉強します	to study / 学习 學習 / 공부합니다 / เรียน / học tập	きのうの晩11時まで勉強しました。

063 ④ 強 11	つよ-い (キョウ)	フ	コ	弓	弘	弘	弘	弘	弘
		強	強	強					

強い	tough/strong / 力气大 強大 力氣大 強大 / 강하다 / แข็งแรง, รุนแรง / mạnh, khỏe	キムさんは力が強いです。 ★(strong / 力气大 力氣大 / 힘이 셉니다 / แรงเยอะ / khỏe)

| 064 行 6 | ⑤ い-きます (おこな-います) コウ (ギョウ) | ノ | ノ | イ | 行 | 行 | 行 | |

行きます	to go / 去~ / 갑니다 / ไป / đi	あした どこへ行きますか。
銀行	bank / 银行 銀行 / 은행 / ธนาคาร / ngân hàng	銀行へ行きます。
飛行機	airplane / 飞机 飛機 / 비행기 / เครื่องบิน / máy bay	飛行機で大阪へ行きます。

| 065 来 7 | ⑤ き-ます (こ-ない) ライ | 一 | 一 | 戸 | 平 | 来 | 来 | 来 |

来ます	to come / 来 來 / 옵니다 / มา / đến	いつ日本へ来ましたか。
来日します	to come to Japan / 来日 來日 / 일본에 옵니다 / มาญี่ปุ่น / đến Nhật	6月に来日しました。
来週	next week / 下周 下星期 下週 / 다음주 / สัปดาห์หน้า / tuần sau, tuần tới	来週 京都へ行きます。

| 066 帰 10 | ④ かえ-ります キ | ノ | リ | リ | リ | リ | リ | 帰 |
| | | 帰 | 帰 | | | | | |

帰ります	to go back / 回去 回來 回到 / 돌아갑니다 / กลับ / trở về	いつ国へ帰りますか。
帰国します	to return to one's country / 回国 回國 / 귀국합니다 / กลับประเทศ / về nước	来年5月に帰国します。
お帰りなさい	Welcome home. / 您回来了 您回來了 / 잘 다녀왔어요? / กลับมาแล้วหรือ / anh/chị/con,... đã về đấy à	「ただいま。」「お帰りなさい。」 ★ / greeting to let family members know that you are back. / 我回来了 我回來了 回家时的问候语 回家時的問候語 / 다녀왔습니다 / กลับมาแล้ว / Tôi đã về.

067 ④ 歩 8	ある-きます ホ	丨	ト	止	止	歩	歩	歩	歩

歩きます	to walk / 走 / 걷습니다 / เดิน / đi bộ	歩いて学校へ来ます。
散歩します	to go for a walk / 散歩 / 산책합니다 / เดินเล่น / đi dạo	毎朝 散歩します。
歩道	sidewalk / 人行道 / 보도 / ทางเท้า / via hè	歩道を歩いてください。

068 ⑤ 友 4	とも ユウ	一	ナ	友	友				

友達	friend / 朋友 / 친구 / เพื่อน / bạn bè	銀座で友達に会いました。
友人	friend / 友人 朋友 / 친구 / เพื่อน / bạn	リンダさんはわたしの友人です。

069 ③ 達 12	タツ	一	十	土	土	圡	坴	幸	幸
		幸	達	達	達				

友達*	friend / 朋友 / 친구 / เพื่อน / bạn bè	先週 友達と京都へ行きました。
速達	express mail / 快递 快遞 / 속달 / จดหมายด่วน / gửi thư chuyển phát nhanh	速達でお願いします。

070 週 11	⑤ シュウ	丿	冂	汋	円	用	用	周	周
		冯	週	週					

先週 (せんしゅう)	last week / 上周 上星期 上週 / 지난주 / สัปดาห์ที่แล้ว / tuần trước	トムさんは先週アメリカへ帰りました。
今週 (こんしゅう)	this week / 本周 这星期 本週 這星期 / 이번주 / สัปดาห์นี้ / tuần này	今週 パクさんが日本へ来ます。
一週間 (いっしゅうかん)	one week / 一星期 / 일주일간 / หนึ่งสัปดาห์ / một tuần	一週間に2回 病院へ行きます。

071 年 6	⑤ とし ネン	丿	𠂉	𠂉	午	𠂉	年		

今年* (ことし)	this year / 今年 / 올해 / ปีนี้ / năm nay	今年 4月にカナダへ行きました。
来年 (らいねん)	next year / 明年 / 내년 / ปีหน้า / năm sau, sang năm	来年 9月にヨーロッパへ行きます。
1998年 (ねん)	the year 1998 / 1998年 / 1998년 / ปี 1998 / năm 1998	1998年に生まれました。

072 去 5	③ (さ-ります) キョ (コ)	一	十	土	去	去			

去年 (きょねん)	last year / 去年 / 작년 / ปีที่แล้ว / năm ngoái	去年 日本へ来ました。

073 名 (メイ / な) — 6画, ⑤

Stroke order: ノ ク タ タ 名 名

名前 (なまえ)	name / 姓 名字 / 이름 / ชื่อ / tên	わたしの名前はトムです。
有名 (ゆうめい)	famous / 有名的 / 유명 / มีชื่อเสียง / nổi tiếng	富士山は有名です。
名刺 (めいし)	business card / 名片 / 명함 / นามบัตร / danh thiếp	これはわたしの名刺です。

074 病 (ビョウ) — 10画, ③

Stroke order: 丶 亠 广 广 疒 疒 疒 病 病 病

病院 (びょういん)	hospital / 医院 醫院 / 병원 / โรงพยาบาล / bệnh viện	おととい病院へ行きました。
病気 (びょうき)	sickness/illness / 病 疾病 / 병 / ความเจ็บป่วย / bệnh tật, ốm đau	田中さんは病気です。 ★ sick / 得病了 / 아픕니다 / ไม่สบาย / bệnh tật

075 院 (イン) — 10画, ③

Stroke order: ⺁ 彐 阝 阝' 阝' 阝 阝 阝 院

入院します (にゅういん)	to be hospitalized / 住院 / 입원합니다 / เข้าโรงพยาบาล / nhập viện	キムさんは先週入院しました。

24

076	⑤	丨	厂	Ѓ	厈	馬	馬	馬	馬
駅 エキ 14		馬	馬	馭	馭	駅	駅		

新宿駅 (しんじゅくえき)	Shinjuku Station / 新宿火车站 新宿火車站 / 신주쿠역 / สถานีรถไฟชินจูกุ / ga Shinjuku	あしたの朝 9時に新宿駅(しんじゅくえき)で会いましょう。

077	③	㇉	㇉	飞	飞	飞	飛	飛	飛
飛 と-びます ヒ 9		飛							

飛行機 (ひこうき)	airplane / 飞机 飛機 / 비행기 / เครื่องบิน / máy bay	飛行機(ひこうき)で大阪(おおさか)へ行きます。
飛(と)びます	to fly / 飞 飞翔 飛 飛翔 / 납니다 / บิน / bay	鳥(とり)は空(そら)を飛(と)びます。

078	③	木 →p.14	朩	朾	朾	栏	機	機
機 キ 16		機	機	機	機	機		

機械 (きかい)	machine / 机械 机器 機械 機器 / 기계 / เครื่องจักร / máy móc	これはNBCの機械(きかい)です。
洗濯機 (せんたくき)	washing machine / 洗衣机 洗衣機 / 세탁기 / เครื่องซักผ้า / máy giặt	この洗濯機(せんたくき)は5万円です。
掃除機 (そうじき)	vacuum cleaner / 吸尘器 吸塵器 / 청소기 / เครื่องดูดฝุ่น / máy hút bụi	それはどこの掃除機(そうじき)ですか。

079 ⑤ 電 13	デン	一	丆	冖	帀	짜	雨	雨
		霄	雷	雷	雷	電		

でんしゃ 電車	train / 电车 電車 / 전차,전철 / รถไฟฟ้า / tàu điện	でんしゃ の 電車に乗ります。
でんわ 電話	telephone / 电话 電話 / 전화 / โทรศัพท์ / điện thoại	でんわ 電話をかけます。
でんき 電気	electric light/electricity / 电灯 電燈 / 전기 / ไฟฟ้า / điện	でんき 電気をつけます。

080 ⑤ 車 7	くるま シャ	一	厂	戸	百	百	亘	車

じどうしゃ 自動車	car / 汽车 汽車 / 자동차 / รถยนต์, รถ / xe ô-tô, xe hơi	あれはフランスの自動車です。
くるま 車	car / 汽车 汽車 / 차 / รถ / xe ô-tô, xe hơi	くるま よこはま 車で横浜へ行きました。

081 ⑤ 気 6	キ (ケ)	ノ	⺈	⺍	气	气	気	

げんき 元気	fine/healthy / 身体健康 精力充沛 身體健康 精力充沛 / 건강 / แข็งแรง, สบายดี / khỏe	「お元気ですか。」「はい、元気です。」
てんき 天気	weather / 天气 天氣 / 날씨 / อากาศ / thời tiết	きょうはいい天気です。
でんき 電気	electric light/electricity / 电气 電氣 / 전기 / ไฟฟ้า / điện	でんき 電気をけしましょうか。

26

| 082 見 7 | ⑤ み-ます -えます -せます ケン | 丨 | 冂 | 冂 | 目 | 目 | 貝 | 見 |

見ます	to see / 看 / 봅니다 / ดู / nhìn, xem	友達と映画を見ます。
見学します	to visit for study/to observe / 见习 見習 / 견학합니다 / ดูงาน, ทัศนศึกษา / thăm quan kiến tập	きのう 新聞社を見学しました。
見物します	to sightsee / 参观 參觀 / 구경합니다 / เที่ยวชม / thăm quan, xem phong cảnh	先週 東京を見物しました。

| 083 聞 14 | ⑤ き-きます -こえます ブン | 丨 | 冂 | 冂 | 門 | 門 | 門 | 門 |
| | | 門 | 閂 | 閏 | 閏 | 間 | 聞 | |

新聞	newspaper / 报纸 報紙 / 신문 / หนังสือพิมพ์ / báo, tờ báo	電車で新聞を読みます。
聞きます	to listen / 听 聽 / 듣습니다 / ฟัง / nghe	いっしょにテープを聞きましょう。
聞きます	to ask / 问 询问 問 尋問 / 묻습니다 / ถาม / hỏi	漢字の読み方を先生に聞きます。

| 084 読 14 | ⑤ よ-みます ドク | 丶 | 亠 | 三 | 言 | 言 | 言 | 訁 |
| | | 計 | 計 | 読 | 読 | 読 | 読 | |

読みます	to read / 读 讀 / 읽습니다 / อ่าน / đọc	本を読みます。
読み方	how to read / 读法 讀法 / 읽는법, 읽기 / วิธีอ่าน / cách đọc	この漢字の読み方がわかりません。
読書室	reading room / 读书室 讀書室 / 독서실 / ห้องอ่านหนังสือ / phòng đọc	読書室は3階です。

085 食 (9) ⑤

た-べます	ノ	𠆢	𠆢	今	今	今	𩙿	𩙿
ショク	食							

食べます	to eat / 吃 喫 / 먹습니다 / กิน, ทาน / ăn	パンを食べます。
食べ物	food / 食物 / 음식 / อาหาร / thức ăn	食べ物を買いました。
食堂	dining room/cafeteria / 食堂 饭厅 飯廳 / 식당 / ร้านอาหาร, โรงอาหาร / nhà ăn	食堂はどこですか。

086 飲 (12) ⑤

の-みます	ノ	𠆢	𠆢	今	今	今	𩙿	𩙿
イン	𩙿	飮	飲	飲				

飲みます	to drink / 喝 / 마십니다 / ดื่ม / uống	いっしょにビールを飲みませんか。
飲み物	a drink / 饮料 飲料 / 음료수 / เครื่องดื่ม / đồ uống	どんな飲み物がありますか。
飲食店	restaurant / 饮食店 飲食店 / 음식점 / ร้านอาหาร / nhà hàng ăn uống	来週から飲食店で働きます。

087 買 (12) ⑤

か-います	丶	冂	冂	罒	罒	罒	罝	胃
(バイ)	買	買	買	買				

買います	to buy / 买 買 / 삽니다 / ซื้อ / mua	デパートで靴を買いました。
買い物します	to shop / 买东西 购物 買東西 購物 / 쇼핑합니다 / ซื้อของ / mua sắm	毎日スーパーで買い物します。

088 実 8	み ジツ	丶	丷	宀	宀	宀	宀	実	実

実習します	to have practical training / 实习 實習 / 실습합니다 / ฝึกปฏิบัติ / thực tập	横浜の工場で実習します。
実は	to tell the truth/the thing is / 事实上 事實上 / 실은 / จริงๆ แล้ว / thực ra là/thì	実は、あさって国へ帰ります。
木の実	nut / 树的果实 樹的果實 / 나무열매 / ลูกไม้ / hạt của cây	アーモンドは木の実です。

089 習 11	なら-います シュウ	フ	ヲ	ヨ	习	羽	羽	羽	羽
		習	習	習					

習います	to learn / 学习 學習 / 배웁니다 / เรียน / học	だれに日本語を習いましたか。
練習します	to practice/to train / 练习 練習 / 연습합니다 / ฝึกหัด, ฝึกซ้อม / luyện tập	いっしょに練習しましょう。
習慣	custom / 习惯 风俗 習慣 風俗 / 습관 / ประเพณี / tập quán	これはわたしの国の習慣です。

090 映 9	うつ-します -ります エイ	l	冂	日	日	旷	旷	映
		映						

映画	movie / 电影 電影 / 영화 / ภาพยนตร์, หนัง / phim, phim ảnh	だれと映画を見ましたか。
映します	to mirror/to reflect / 照(镜子 鏡子) / 비춥니다 / ฉาย / chiếu, phản chiếu	鏡に映します。 ★ reflect on a mirror / 照镜子 照鏡子 / 거울에(얼굴을)비춥니다 / สะท้อนในกระจก / chiếu vào gương

091 ④	画 8	ガ カク	一	一	ア	帀	帀	面	面	画

画家（がか）	painter/artist / 画家 畫家 / 화가 / จิตรกร, ช่างวาดภาพ / họa sĩ	あの人は画家です。
画数（かくすう）	number of strokes / 笔画 筆畫 / 획수 / จำนวนเส้น Kanji / số nét	この漢字の画数は8です。

092 ③	写 5	うつ-します -ります シャ	丶	冖	写	写	写

写真（しゃしん）	photograph / 照片 / 사진 / รูปถ่าย, รูป / ảnh	だれの写真ですか。
写（うつ）します	to copy / 抄写 抄寫 / 베낍니다 / ลอก / copy, viết lại	先生の字を写します。

093 ③	真 10	ま シン	一	十	广	市	盂	肯	直	直
			真	真						

写真（しゃしん）	photograph / 照片 / 사진 / รูปถ่าย, รูป / ảnh	どこでこの写真を撮りましたか。
真夜中（まよなか）	the middle of the night / 半夜 / 한밤중 / กลางดึก / đúng nửa đêm	真夜中に地震がありました。
真（ま）ん中（なか）	the center / 正中央 / 가운데 / ใจกลาง, กลาง / chính giữa	道の真ん中を歩きます。

094 牛 ④ 4	うし ギュウ	ノ	⺄	匸	牛			

うし 牛	cow/bull / 牛 / 소 / วัว / bò	この牛は、今年生まれました。
ぎゅうにく 牛肉	beef / 牛肉 / 쇠고기 / เนื้อวัว / thịt bò	スーパーで牛肉を買います。
ぎゅうにゅう 牛乳	milk / 牛奶 牛乳 / 우유 / นมวัว / sữa bò	毎日 牛乳を飲みます。

| 095 馬 ④ 10 | うま バ | 丨 | 厂 | 丆 | 丐 | 匡 | 馬 | 馬 |
| | | 馬 | 馬 | | | | | |

うま 馬	horse / 马 馬 / 말 / ม้า / ngựa	北海道で馬を見ました。
ばしゃ 馬車	carriage / 马车 馬車 / 마차 / รถม้า / xe ngựa	きのう馬車に乗りました。

| 096 肉 ④ 6 | ニク | 丨 | 冂 | 内 | 内 | 肉 | 肉 | |

ぶたにく 豚肉	pork / 猪肉 豬肉 / 돼지고기 / เนื้อหมู / thịt lợn, thịt heo	アリさんは豚肉を食べません。
とりにく 鳥肉	chicken (meat) / 鸡肉 鶏肉 / 닭고기 / เนื้อไก่ / thịt gà	野菜と鳥肉を食べました。

097 魚 (11)	さかな (うお) ギョ	ノ	ク	ク	凸	甬	叀	叀
		魚	魚	魚				

生の魚	raw fish / 生鱼 生魚 / 날생선 / ปลาดิบ / cá sống	日本人は生の魚を食べます。
魚屋	fish shop / 卖鱼店 販魚店 賣魚店 販魚店 / 생선가게 / ร้านขายปลา / cửa hàng cá	魚屋で働きます。
金魚	goldfish / 金鱼 金魚 / 금붕어 / ปลาทอง / cá vàng	きのう金魚を買いました。

098 茶 (9)	チャ サ	一	十	艹	艹	艾	苂	苹	茶
		茶							

お茶	(green) tea / 茶 / 차 / น้ำชา, ชา / trà	毎日お茶を飲みます。
紅茶	English tea / 红茶 紅茶 / 홍차 / น้ำชาฝรั่ง / trà đen	紅茶を飲みますか。
喫茶店	coffee shop/cafe / 咖啡馆 咖啡館 / 카페 / ร้านกาแฟ / quán giải khát	あの喫茶店でちょっと休みませんか。

099 酒 (10)	さけ さか シュ	丶	冫	氵	氿	沂	沥	洒
		酒	酒					

お酒	liquor/alcohol / 酒 / 술 / เหล้า / rượu	毎晩 お酒を飲みますか。
日本酒	Japanese sake / 日本清酒 / 일본술 / เหล้าสาเก / rượu Nhật	日本酒を飲みます。
酒屋	liquor store / 酒类专卖店 酒類專賣店 / 술을 파는가게(술집과는 다릅니다) / ร้านขายเหล้า / cửa hàng rượu	酒屋でワインを買いました。

100 ⑤ 父 4	ちち (フ)	ノ	ハ	父	父				

お父さん*	father (one's) / 父亲 父親 / 아버지 / คุณพ่อ / bố (người khác)	お父さんに何をあげましたか。
父 (ちち)	father (my) / 爸爸 / 아버지 / พ่อ / bố (mình)	父の日にネクタイをあげました。

101 ⑤ 母 5	はは (ボ)	ㄥ	ㄩ	ㅁ	日	母			

お母さん*	mother (one's) / 母亲 母親 / 어머니 / คุณแม่ / mẹ (người khác)	あの人は田中さんのお母さんです。
母 (はは)	mother (my) / 妈妈 媽媽 / 어머니 / แม่ / mẹ (mình)	母は49歳です。

102 ④ 兄 5	あに (ケイ) (キョウ*)	丶	口	口	尸	兄			

お兄さん*	elder brother (one's) / 哥哥 / 오빠,형 / พี่ชาย / anh (người khác)	トムさんのお兄さんは英語の先生です。
兄 (あに)	elder brother (my) / 哥哥 / 오빠,형 / พี่ชาย / anh (mình)	わたしの兄は27歳です。

103 ④ 姉 8	あね (シ)	く	夊	女	女｀	女丆	妒	妒	姉

お姉さん*	elder sister (one's) / 姐姐 姊姊 / 언니,누나 / พี่สาว / chị (người khác)	メアリーさんのお姉さんはきのう日本へ来ました。
姉	elder sister (my) / 姐姐 姊姊 / 언니,누나 / พี่สาว / chị (mình)	姉は会社員です。

104 ④ 弟 7	おとうと ダイ (テイ)	丶	丷	丷	兰	肖	弟	弟

弟	younger brother (my) / 弟弟 / 남동생 / น้องชาย / em trai (mình)	弟は学生です。
兄弟	siblings / 兄弟 / 형제 / พี่น้อง / anh em	兄弟は何人ですか。

105 ④ 妹 8	いもうと マイ	く	夊	女	女｀	奸	奸	姉	妹

妹	younger sister (my) / 妹妹 / 여동생 / น้องสาว / em gái (mình)	きのうの夜 妹とテレビを見ました。
姉妹	sisters / 姐妹 姊妹 / 자매 / พี่น้อง (ผู้หญิง) / chị em	わたしは三人姉妹です。

106 ④ 家 10	いえ カ	丶	宀	宀	宀	宀	宀	家
		家	家					

家族	family / 家人 / 가족 / ครอบครัว / gia đình	もう家族に手紙を書きましたか。
家	house / 家 / 집 / บ้าน / nhà	山田さんの家はどこですか。

107 ③ 族 11	ゾク	丶	亠	方	方	方	方	方
		方	族	族				

水族館	aquarium / 水族馆 水族館 / 수족관 / พิพิธภัณฑ์สัตว์น้ำ / thủy cung	おととい水族館へ行きました。

108 ③ 主 5	(おも) (ぬし) シュ	丶	亠	宀	主	主		

ご主人	husband (one's) / 他人的丈夫 您愛人 您愛人 / 남편분 / สามี (ของคนอื่น) / chồng (người khác)	ご主人に何をもらいましたか。
主人	husband (my) / 丈夫 / 남편 / สามี (ของตัวเอง) / chồng (mình)	主人に指輪をもらいました。

109 ⑤ 子 3	こ シ	ｱ 了 子					

子ども	child / 小孩 小孩子 / 어린이,아이 / ลูก, เด็ก / trẻ con	子どもとデパートへ行きました。
男の子	boy / 男孩子 / 사내아이 / เด็กชาย / bé trai	日本人の男の子に英語を教えます。
男子	male / 男子 / 남자 / ผู้ชาย / con trai, đàn ông	男子トイレは3階です。

110 ④ 内 4	(うち) ナイ	1 冂 内 内					

家内	wife (my) / 自己的妻子 爱人 内人 家里的 爱人 家裏的 / (자기의)아내 / ภรรยา (ของตัวเอง) / vợ (mình)	来月家内が日本へ来ます。
案内します	to guide / 向导 引导 嚮導 引導 / 안내합니다 / พาไปชม, นำเที่ยว / hướng dẫn	これから京都を案内します。

111 ③ 借 10	か-ります シャク	ノ イ ｲ 仁 借 借 借 借 借					

借ります	to borrow / 借 / 빌립니다 / ยืม, กู้ / mượn, vay	鈴木さんに辞書を借りました。
借金	debt / 借钱 借錢 / 빚 / เงินกู้, หนี้ / tiền vay, tiền nợ	10万円　借金をしました。

112 貸 12	③ か-します (タイ)	ノ	イ	仁	代	代	代	代	貸
		貸	貸	貸	貸				

貸します	to lend / 借（出）/ 빌려줍니다 / ให้ยืม, ให้เช่า / cho mượn, cho vay	先週　弟にお金を貸しました。

113 切 4	④ き-ります セツ	一	七	切	切				

切ります	to cut / 剪切 / 자릅니다 / ตัด / cắt	はさみで紙を切ります。
親切	kind / 亲切的　親切的 / 친절 / ใจดี, มีน้ำใจ / tốt bụng, tử tế	田中さんは親切な人です。
切手*	stamp / 邮票　郵票 / 우표 / แสตมป์ / tem	80円の切手をください。

114 修 10	(おさ-めます) シュウ	ノ	イ	亻	仈	攸	攸	攸	修
		修	修						

修理します	to repair / 修理 / 수리합니다 / ซ่อม / sửa chữa	ラジオを修理します。

115 ④ 理 11	リ	一	二	三	王	玨	玽	理
		理	理	理				

料理 (りょうり)	cooking/cuisine/food / 菜 料理 / 요리 / อาหาร / món ăn	きのう日本料理を食べました。
理科 (りか)	science / 理科 / 이과 / วิทยาศาสตร์ / ngành tự nhiên	鈴木さんは理科の先生です。

116 ③ 英 8	エイ	一	十	艹	艹	芇	苎	英	英

英語 (えいご)	English / 英语 英語 / 영어 / ภาษาอังกฤษ / tiếng Anh	リンダさんに英語で手紙を書きました。

117 ⑤ 語 14	(かた-ります) ゴ	丶	二	三	言	言	言	訁
		訂	訝	語	語	語	語	

日本語 (にほんご)	Japanese language / 日语 日語 / 일본어 / ภาษาญี่ปุ่น / tiếng Nhật	山田さんは日本語の先生です。
中国語 (ちゅうごくご)	Chinese language / 中文 / 중국어 / ภาษาจีน / tiếng Trung Quốc	だれに中国語を習いましたか。

#	Kanji	Readings	Stroke order
118	大 (3) ⑤	おお-きい / ダイ / タイ	一 ナ 大

おお 大きい	big / 大的 / 크다 / ใหญ่, โต / to, lớn	きのう 大きいかばんを買いました。
だいがく 大学	university / 大学 大學 / 대학교 / มหาวิทยาลัย / đại học	大学の図書館で勉強します。
たいへん 大変	terrible/difficult / 不得了 / 큰일,대단히 / ลำบาก / vất vả, khó khăn	「10時まで働きました。」「大変ですね。」 ★ That's terrible. / 真是辛苦了 / 힘들겠군요 / ลำบากนะ / Vất vả quá.

#	Kanji	Readings	Stroke order
119	小 (3) ⑤	ちい-さい / こ / (お) / ショウ	亅 小 小

ちい 小さい	small / 小的 / 작다 / เล็ก / bé, nhỏ	このセーターは小さいです。
しょうがっこう 小学校	elementary school / 小学 小學 / 초등학교 / โรงเรียนประถมศึกษา / trường tiểu học	新宿小学校はどこですか。
こぎって 小切手	check / 支票 / 수표 / เช็ค / tấm séc	小切手で払いました。

#	Kanji	Readings	Stroke order
120	高 (10) ⑤	たか-い / コウ	亠 亠 亠 古 戸 亭 高 高 高

たか 高い	tall / 高的 / 높다 / สูง / cao	サンシャインビルは高いビルです。
たか 高い	expensive / 貴的 貴的 / 비싸다 / แพง / đắt	「この靴は2万円です。」「高いですね。」
こうこうせい 高校生	high school student / 高中生 / 고등학생 / นักเรียนมัธยมปลาย / học sinh cấp 3	妹は高校生です。

| 121 ③ 低 7 | ひく-い
テイ | ノ | イ | 亻 | 仁 | 作 | 低 | 低 | |

低い	low / 矮 低的 / 낮다 / ต่ำ, เตี้ย / thấp	あの低い山は若草山です。
低学年	first/second grade / 低年级 低年級 / 저학년 / ปีการศึกษาชั้นต่ำ / lớp 1 lớp 2 (chỉ năm thứ nhất, thứ 2 tiểu học)	弟はまだ低学年です。

| 122 ⑤ 安 6 | やす-い
アン | 、 | ` | 宀 | 灾 | 安 | 安 | | |

安い	cheap / 便宜的 / 싸다 / (ราคา)ถูก / rẻ	このレストランは安いです。
安全	safety / 安全的 / 안전 / ความปลอดภัย / an toàn	日本は安全な国です。
安心します	to be relieved / 安心 放心 / 안심합니다 สบายใจ, เบาใจ / yên tâm, an tâm	母の手紙を読みました。安心しました。

| 123 ⑤ 新 13 | あたら-しい
シン | 、 | 亠 | ヤ | 立 | 立 | 辛 | 辛 |
| | | 亲 | 新 | 新 | 新 | 新 | | |

新しい	new / 新的 / 새롭다 / ใหม่ / mới	新しい車がほしいです。
新聞	newspaper / 报纸 報紙 / 신문 / หนังสือพิมพ์ / tờ báo, báo	毎朝 新聞を読みます。

124 古 (5画)

- ふる-い
- コ

Stroke order: 一 十 十 古 古

古い	old / 旧的 古老的 舊的 / 오래되다, 낡다, 헐다 / เก่า / cũ	京都は古い町です。
中古車	used car / 中古车 中古車 / 중고차 / รถมือสอง / xe cũ	中古車を買いました。

125 暑 (12画)

- あつ-い
- ショ

Stroke order: 丶 口 日 日 旦 早 早 昇 昇 暑 暑 暑

暑い	hot (when speaking of weather) / 热的 熱的 / 덥다 / ร้อน / nóng (nói thời tiết)	きょうはあまり暑くないです。
暑中見舞い	summer greetings / 暑假问候卡 暑假問候卡 / 서중문안 / ไปรษณียบัตรสอบถามทุกข์สุขในหน้าร้อน / thiệp thăm hỏi mùa hè	友達に暑中見舞いを書きました。

126 寒 (12画)

- さむ-い
- (カン)

Stroke order: 丶 丷 宀 宀 宀 宀 宲 宲 寒 寒 寒 寒

寒い	cold (when speaking of weather) / 冷的 / 춥다 / หนาว / lạnh	あなたの国は今寒いですか。

127 ③ 熱 15	あつ-い ネツ	一	十	土	寺	坴	走	坴	幸
		刲	執	執	執	熱	熱	熱	

熱い	hot (except when speaking of weather) / 热的 熱的 / 뜨겁다 / ร้อน / nóng (chỉ đồ vật nóng)	このコーヒーは熱いです。
熱	fever/heat / 发烧 發燒 / 열 / ไข้, ความร้อน / sốt	熱があります。★(เป็นไข้ / bị sốt)

128 ③ 冷 7	つめ-たい (ひ-えます) レイ	丶	冫	冫	入	冹	冷	冷

冷たい	cold (except when speaking of weather) / 冷的 / 차다 / เย็น, เย็นชา / lạnh (chỉ đồ vật nguội lạnh)	冷たい水をください。
冷蔵庫	refrigerator / 冰箱 / 냉장고 / ตู้เย็น / tủ lạnh	冷蔵庫を修理します。

129 ③ 悪 11	わる-い アク	一	厂	戸	冖	币	吊	亜	亜
		悪	悪	悪					

悪い	bad / 坏的 不好的 壞的 / 나쁘다 / ร้าย, ชั่วร้าย / xấu	今日は天気が悪いです。 ★(the weather is bad / 天气不好 天氣不好 / 날씨가 나쁩니다 / อากาศไม่ดี / thời tiết xấu)
最悪	the worst / 最糟糕 / 최악 / แย่สุด / tồi tệ nhất, xấu nhất	きのうは最悪の日でした。

130 青 (8)	④ あお あお-い セイ	一	十	十	主	丰	青	青	青

あお 青い	blue / 蓝(色)的 藍(色)的 / 파랗다 / คราม, น้ำเงิน, เขียว / xanh	わたしのかばんは、あの青いのです。
せいねん 青年	young man / 青年 / 청년 / หนุ่ม / thanh niên	あの青年は学生ですか。

131 赤 (7)	④ あか あか-い セキ	一	十	土	耂	尗	赤	赤

あか 赤い	red / 红(色)的 紅(色)的 / 빨갛다 / แดง / đỏ	あの赤いセーターをください。
あか 赤ちゃん	baby / 婴儿 嬰兒 / 아기 / เด็กทารก / em bé	赤ちゃんが生まれました。
せきどう 赤道	the equator / 赤道 / 적도 / เส้นศูนย์สูตร / xích đạo	赤道に近い国は暑いです。

132 白 (5)	⑤ しろ しろ-い ハク	ノ	亻	白	白	白

しろ 白い	white / 白色的 / 하얗다,희다 / ขาว / trắng	リンダさんは白い靴を買いました。
はくせん 白線	white line / 白线 警戒线 白線 警戒線 / 흰선 / เส้นสีขาว / đường màu trắng	白線の内側におさがりください。 ★ Please be sure to stay behind the white line. / 请退到白色警戒线内侧 請退到白色警戒線內側/ 흰선 안쪽으로 물러나 주세요/ กรุณายืนภายในเส้นสีขาว / Đề nghị anh/chị/quý khách,...lùi xuống phía sau đường màu trắng.

133 黒 (11画) ④
くろ / くろ-い / コク

筆順: 丶 ⟶ 口 ⟶ 日 ⟶ 日 ⟶ 甲 ⟶ 甲 ⟶ 里 ⟶ 里 ⟶ 黒 ⟶ 黒 ⟶ 黒

- 黒い (くろい) — black / 黑的 黑色的 / 검다 / ดำ / đen
  - あの黒いジャケットはチョーさんのです。
- 黒板 (こくばん) — blackboard / 黑板 黑板 / 칠판 / กระดานดำ / bảng đen
  - 黒板に字を書きます。

134 親 (16画) ④
おや / (した-しい) / シン

筆順: 丶 ⟶ 亠 ⟶ 立 ⟶ 立 ⟶ 辛 ⟶ 辛 ⟶ 亲 ⟶ 新 ⟶ 新 ⟶ 新 ⟶ 新 ⟶ 新 ⟶ 親

- 父親 (ちちおや) — father / 父亲 父親 / 부친 / พ่อ / bố, cha
  - 先週 父親が国へ帰りました。
- 親切 (しんせつ) — kind / 亲切的 親切的 / 친절 / ใจดี / tốt bụng, tử tế
  - 鈴木さんは親切な人です。
- 両親 (りょうしん) — parents / 双亲 父母 雙親 / 양친 부모 / พ่อแม่ / bố mẹ, ba mẹ
  - 来月 両親が日本へ来ます。

135 有 (6画) ③
(あ-ります) / ユウ

筆順: ノ ⟶ ナ ⟶ 冇 ⟶ 有 ⟶ 有 ⟶ 有

- 有名 (ゆうめい) — famous / 有名的 / 유명 / มีชื่อเสียง / nổi tiếng
  - ゴッホは有名な画家です。

136 ⑤ 山 3	やま / サン	丨 山 山					

やま 山	mountain / 山 / 산 / ภูเขา / núi	富士山はどんな山ですか。
ふじさん 富士山	Mt.Fuji (a mountain in Japan) / 富士山(日本最高的山) / 후지산(일본에서 제일 높은 산) / ภูเขาฟูจิ / núi Phú Sĩ	

137 ⑤ 花 7	はな / カ	一 十 艹 艹 犬 花 花					

はな 花	flower / 花 / 꽃 / ดอกไม้ / hoa	桜はきれいな花です。
かびん 花びん	vase / 花瓶 / 꽃병 / แจกัน / lọ hoa, bình hoa	白い花びんを買いました。

138 ④ 町 7	まち / チョウ	丨 冂 冂 用 田 田 町					

まち 町	town / 街道 / 동네 / ตำบล, เมือง / phố, thành phố	この町は静かです。
ゆうらくちょう 有楽町	Yurakucho (a district in Tokyo) / 东京的街道的名字 東京的街道的名字 / 유락쵸(동경도 내에 있는 지명) / ยูระกุโช(ชื่อเมืองในโตเกียว) / Phố Yurakucho (một khu phố ở Tokyo)	有楽町はにぎやかな所です。

139 ④ 元 4	もと / ゲン / (ガン)	一	二	テ	元				

元気 (げんき)	fine/healthy / 有精神的 / 건강 / สบายดี / khỏe	リーさんは元気ですか。
元 (もと)	original / 原来的 本来的 / 원래 / อดีต, เดิม, เก่า / gốc, ban đầu	元の所にしまいます。 ★ 原处 原處 / 원래있었던 곳으로 / chỗ cũ ★ to put back/to put away / 收起来 收起來 / 치웁니다, 챙깁니다 안에 넣습니다 / เก็บ / cất

140 ③ 宿 11	(やど) / シュク	′	′′	宀	宀	宀	宀	宀	宀
		宿	宿	宿					

宿題 (しゅくだい)	homework / 作业 作業 / 숙제 / การบ้าน / bài tập	この宿題は難しいです。
新宿 (しんじゅく)	Shinjuku (a district in Tokyo) / 东京的街道的名字 東京的街道的名字 / 신주쿠(동경도 내에 있는 지명) / ชินจุกุ(ชื่อของเมืองในโตเกียว) / Shinjuku (một quận ở Tokyo)	きのう 新宿で山田さんに会いました。

141 ③ 題 18	ダイ	日 →p.4	旦	早	早	昇	是	是
		是	題	題	題	題	題	題

問題 (もんだい)	problem/question(test) / 问题 問題 / 문제 / ปัญหา, คำถาม / vấn đề, câu hỏi (của bài thi,...)	この問題は易しいです。

142 間 12	あいだ (ま) カン ケン	丨	冂	冂	冂	門	門	門
		門	門	閁	間			

時間	time / 时间 時間 / 시간 / เวลา / thời gian	きょうはあまり時間がありません。
この間	the other day / 最近 / 요전,얼마전 / วันก่อน / gần đây, mới đây	この間　山田さんに会いました。
人間	human beings/people / 人 / 인간 / มนุษยชาติ, มนุษย์ / con người	人間は火を使う動物です。

143 頭 16	あたま トウ ズ	一	一	一	口	戸	豆	豆
		豆	豆	頭	頭	頭	頭	頭

頭	head / 头 頭 / 머리 / หัว / đầu	「どうしましたか。」「頭が痛いです。」
頭痛	headache / 头痛 頭痛 / 두통 / ปวดหัว / đau đầu	頭痛がします。
～頭	counter (big animals) / ～只, 条, 头 (数) ～隻, 條, 頭 (數) / ～마리 / ～ตัว (ใช้กับสัตว์ใหญ่ เช่น ช้าง, วัว ฯลฯ) / ～con (đếm động vật lớn)	牛が3頭います。

144 痛 12	いた-い ツウ	丶	亠	广	广	疒	疒	疒
		疖	疳	痛	痛			

| 痛い | painful / 痛 / 아프다 / เจ็บ, ปวด / đau | おなかが痛いですから、きょうは休みます。 |
| 腰痛 | backache / 腰痛 / 요통 / ปวดเอว / đau hông, đau lưng | 腰痛の薬はありますか。 |

145 ④ 歌 14	うた うた-います カ	一	厂	厅	戸	可	可	哥	哥
		哥	哥	哥	歌	歌	歌		

歌 (うた)	song / 歌 / 노래 / เพลง / bài hát	わたしは歌が好きです。
歌います (うた)	to sing / 唱 / 노래 부릅니다 / ร้องเพลง / hát	いっしょに歌を歌いましょう。
歌手 (かしゅ)	singer / 歌星 歌手 / 가수 / นักร้อง / ca sĩ	有名な歌手に会いました。

146 ④ 音 9	おと オン	丶	亠	立	立	产	音	音
		音						

音 (おと)	sound / 声音 聲音 / 소리 / เสียง / âm, âm thanh	このピアノは音がいいです。
音楽 (おんがく)	music / 音乐 音樂 / 음악 / ดนตรี / âm nhạc	どんな音楽が好きですか。

147 ④ 楽 13	たの-しい ガク (ラク)	丶	丨	冂	白	白	泊	泊
		泊	渔	楽	楽	楽		

楽器 (がっき)	musical instrument / 乐器 樂器 / 악기 / เครื่องดนตรี / nhạc cụ	どんな楽器を習いましたか。
楽しい (たの)	pleasant/fun / 快乐 快樂 / 즐겁다 / สนุก / vui	きのうのパーティーは楽しかったです。

148 薬 (くすり / ヤク) — 16画

Stroke order: 一 十 艹 サ 艹 サ 芇 苷 苩 茁 茞 茞 菡 萆 薬 薬

薬 (くすり)	medicine / 药 藥 / 약 / ยา / thuốc	すみませんが、薬をください。
頭痛薬 (ずつうやく)	headache remedy / 头痛药 頭痛藥 / 두통약 / ยาแก้ปวดหัว / thuốc đau đầu	頭痛薬を飲みました。 ★ took a headache remedy / 吃了头痛药 喫了頭痛藥 / 두통약을 먹었습니다 / กินยาแก้ปวดหัว / đã uống thuốc đau đầu

149 字 (ジ) — 6画

Stroke order: 丶 丷 宀 宁 字 字

漢字 (かんじ)	Kanji / 汉字 漢字 / 한자 / ตัวอักษรคันจิ / chữ Hán	漢字は難しいですか。
字 (じ)	letter/character / 字 / 글자 / ตัวอักษร / chữ	メアリーさんは字がきれいです。 ★ be good at handwriting / 写一手漂亮的字 寫一手漂亮的字 / 글씨가 예쁩니다 / เขียนตัวอักษรสวย / viết chữ đẹp

150 料 (リョウ) — 10画

Stroke order: 丶 丷 ソ 半 米 米 米 籵 料

料理 (りょうり)	cooking/cuisine/food / 菜 料理 / 요리 / อาหาร / món ăn	どんな料理が好きですか。
料金 (りょうきん)	charge/fee / ～费用 ～费 ～費用 ～費 / 요금 / ค่า / phí, chi phí	今月の電話料金は5千円です。

#	Kanji	Reading	Stroke order
151	好 (6)	す-き (この-みます) / コウ	く ㄨ 女 奷 奵 好

好き	like / 喜欢 喜歡 / 좋아함 / ชอบ / thích	わたしはりんごが好きではありません。
好物 (こうぶつ)	favorite food / 喜欢的东西 喜歡的東西 / 좋아하는 음식 / ของโปรด / món yêu thích	このケーキはわたしの大好物です。

#	Kanji	Reading	Stroke order
152	全 (6)	まった-く / ゼン	ノ 入 仝 仐 全 全

全然 (ぜんぜん)	not at all / 完全(不) 完全不… / 전혀 / ไม่...เลย / hoàn toàn (không)	わたしは日本語が全然わかりません。
全部で (ぜんぶで)	in all / 一共为… 总共合计是… 一共為… 總共合計是… / 모두해서 / รวมทั้งหมด / toàn bộ, tất cả	全部で３千円です。
全く (まったく)	not at all / 完全… / 완전히,전혀 / ไม่...เลย / hoàn toàn (không)	この問題は全くわかりません。

#	Kanji	Reading	Stroke order
153	鳥 (11)	とり / チョウ	′ 丫 丫 户 皀 皀 鳥 鳥 鳥 鳥 鳥

鳥 (とり)	bird / 鸟 鳥 / 새 / นก / chim	この鳥は飛びません。
白鳥 (はくちょう)	swan / 天鹅 天鵝 / 고니,백조 / หงส์ / thiên nga	白鳥はきれいな鳥です。

154 上 ⑤ 3	あ-げます　-がります / うえ / ジョウ	丨	卜	上				

うえ 上	on / 上边 上面 上 上邊 / 위 / บน / trên	机の上に本があります。
じょうず 上手*	be good at / 拿手 熟练 熟練 / 능숙함 / เก่ง / giỏi	鈴木さんはダンスが上手です。 ★(good at dancing / nhảy múa giỏi)
あ 上げます	to raise / 挙 抬 舉 抬 / 듭니다 / ยก / đưa lên, nâng lên, giơ lên	手を上げてください。

155 下 ⑤ 3	さ-げます　-がります / した / カ (ゲ)	一	丅	下				

した 下	under / 下边 下面 下 下邊 / 밑 / ใต้ / dưới	テーブルの下にかばんがあります。
ちかてつ 地下鉄	subway / 地铁 地鐵 / 지하철 / รถไฟใต้ดิน / tàu điện ngầm	地下鉄で来ました。
さ 下がります	to lower/to go down / 降下 降落 退 下降 / 내립니다 / ต่ำลง, ลดลง / hạ xuống, giảm xuống	熱が下がりました。 ★(退烧 烧退了 / 退燒 燒退了)

156 右 ⑤ 5	みぎ / (ユウ) / (ウ)	ノ	ナ	ナ	右	右		

| みぎ 右 | right / 右 右面 右边 右邊 / 오른쪽 / ขวา / phải | 電話は受付の右です。 |

157 ⑤ 左 5	ひだり / サ	一	ナ	左	左	左			

左 (ひだり)	left / 左边 左 左面 左邊 / 왼쪽 / ซ้าย / trái	銀行の左に郵便局があります。
左右 (さゆう)	right and left / 左右 左右边 左右邊 / 좌우 / ซ้ายและขวา / trái phải, bên trái bên phải	左右をよく見ましょう。

158 ⑤ 男 7	おとこ / ダン	丨	冂	冂	冂	田	男	男	

男の人 (おとこのひと)	man / 男人 男子 / 남자 / ผู้ชาย / người đàn ông	あの男の人はだれですか。 ★(그 남자는)
男子 (だんし)	male / 男人 男子 / 남자 / ชาย / đàn ông, con trai	男子トイレはどこですか。

159 ⑤ 女 3	おんな (め) / ジョ	く	女	女					

女の子 (おんなのこ)	girl / 女孩 女孩子 女孩儿 女孩兒 / 여자 / เด็กหญิง / bé gái	公園に女の子がいます。
女性用 (じょせいよう)	female / 女用 / 여성용 / สำหรับผู้หญิง / dành cho nữ giới	このセーターは女性用です。

160 外

- はず-します
- そと
- ガイ
- (ゲ)

画数: 5

Stroke order: ノ / ク / タ / タ / 外

外 (そと)	outside / 外头 外面 外頭 / 밖,바깥 / ข้างนอก / bên ngoài	外にだれかいますか。
外国 (がいこく)	foreign country / 外国 外國 / 외국 / ต่างประเทศ / nước ngoài	外国へ行きたいです。
外します (はずします)	to take off/to remove / 取下 摘下 / 벗습니다,씁니다 / แกะ,ถอดออก / tháo ra	めがねを外します。

161 公

- (おおやけ)
- コウ

画数: 4

Stroke order: ノ / 八 / 公 / 公

公園 (こうえん)	park / 公园 公園 / 공원 / สวนสาธารณะ / công viên	公園に子供がいます。 公園を散歩します。

162 園

- (その)
- エン

画数: 13

Stroke order: 一 / 冂 / 冂 / 円 / 円 / 同 / 周 / 声 / 尃 / 尃 / 園 / 園

動物園 (どうぶつえん)	zoo / 动物园 動物園 / 동물원 / สวนสัตว์ / vườn bách thú	先週の日曜日、家族と動物園へ行きました。
植物園 (しょくぶつえん)	botanical garden / 植物园 植物園 / 식물원 / สวนพฤกษชาติ / thảo cầm viên, vườn bách thảo	すみません、植物園はどこですか。

163 ④ 図 7	(はか-ります) ズ ト	丨	冂	冂	䍃	図	図	図

地図	map / 地图 地圖 / 지도 / แผนที่ / bản đồ	東京の地図を買いました。
図書館	library / 图书馆 圖書館 / 도서관 / ห้องสมุด / thư viện	図書館は学校のとなりにあります。

164 ③ 使 8	つか-います シ	ノ	亻	亻	仁	仨	佢	使	使

使い方	how to use / 使用办法 使用方法 使用辨法 / 쓰는 방법 / วิธีใช้ / cách sử dụng	カメラの使い方がわかりません。
使います	to use / 使用 用 / 사용합니다,씁니다 / ใช้ / dùng, sử dụng	わたしは鉛筆を使いません。
使用中	in use / 使用中 / 사용중 / กำลังใช้อยู่ / đang sử dụng	会議室は使用中です。

165 ③ 館 16	カン	ノ	入	亽	今	今	今	食	食
		飠	飠	飣	節	節	節	館	館

映画館	movie theater / 电影院 電影院 / 영화관 / โรงภาพยนตร์, โรงหนัง / rạp chiếu phim	映画館の前にレストランがあります。
大使館	embassy / 大使馆 大使館 / 대사관 / สถานทูต / đại sứ quán	きのう、大使館へ行きました。

166 竹 (4画, 6)

たけ
(チク)

| ノ | ⺩ | ⺮ | 个 | 竹 | 竹 | | |

竹 — bamboo / 竹子 / 대나무 / ไม้ไผ่ / tre

竹のはしでごはんを食べます。

167 箱 (3画, 15)

はこ

| ノ | ⺩ | ⺮ | 个 | 竹 | 竹 | 竺 | 竺 |
| 笜 | 筘 | 筘 | 箝 | 箱 | 箱 | 箱 | |

箱 — box / 箱子 盒子 / 상자 / หีบ, กล่อง / cái hộp

その箱の中に何がありますか。

168 筆 (3画, 12)

ふで
ヒツ

| ノ | ⺩ | ⺮ | 个 | 竹 | 竹 | 竺 | 竺 |
| 筆 | 筆 | 筆 | 筆 | | | | |

筆 — writing brush / 毛笔 笔 毛筆 筆 / 붓 / พู่กัน / bút lông

「何で手紙を書きますか。」
「筆で書きます。」

鉛筆 — pencil / 铅笔 鉛筆 / 연필 / ดินสอ / bút chì

机の上に鉛筆があります。

169 ③ 庭 10	にわ / テイ	丶	亠	广	庐	庐	庄	庭
		庭	庭					

にわ 庭	yard/garden / 庭院 院子 / 마당 / สวน / vườn, sân	庭に何がありますか。
こうてい 校庭	school playground / 校园 校園 / 학교운동장 / สนามโรงเรียน / sân trường	子どもたちは校庭で遊んでいます。
ていえん 庭園	garden / 庭园 庭園 / 정원 / สวน, อุทยาน / vườn cảnh	新宿御苑に日本庭園があります。

170 ③ 銀 14	ギン	ノ	𠆢	亼	𠂉	牟	牟	金
		釒	釤	鈩	鈩	鈩	銀	

ぎんこう 銀行	bank / 银行 銀行 / 은행 / ธนาคาร / ngân hàng	駅の前に銀行があります。
ぎん 銀	silver / 银 銀 / 은 / (แร่) เงิน / bạc	銀のスプーンをもらいました。

171 ④ 地 6	チ / ジ	一	十	土	圠	圳	地

ちかかい 地下1階	1st basement / 地下一楼 地下一樓 / 지하1층 / ชั้นใต้ดิน / tầng hầm 1	受付は地下1階です。
ちず 地図	map / 地图 地圖 / 지도 / แผนที่ / bản đồ	山の地図を買いました。
じしん 地震	earthquake / 地震 / 지진 / แผ่นดินไหว / động đất	あ、地震です。

172 鉄 (テツ) — 13 strokes

ノ	ﾉ	ﾉ	亼	仐	全	余	金
鈩	鉎	鈇	鉄	鉄			

- 地下鉄（ちかてつ）: subway / 地铁 地下鉄 地鐵 地下鐵 / 지하철 / รถไฟใต้ดิน / tàu điện ngầm
- 鉄（てつ）: iron / 铁 鐵 / 철 / เหล็ก / sắt

地下鉄の駅はどこですか。

「これは鉄ですか。」
「いいえアルミです。」
★ aruminyumu / 钢精 鋼精 / 알루미늄 / อะลูมิเนียม / nhôm

173 汽 (キ) — 7 strokes

丶	丷	氵	氵	汽	汽	汽	

- 汽車（きしゃ）: train / 火车 火車 / 기차 / รถไฟ / tàu hỏa

北海道で汽車を見ました。

174 船 (ふね・セン) — 11 strokes

ノ	⺁	力	月	舟	舟	舩	
船	船	船					

- 船（ふね）: ship / 船 / 배 / เรือ / thuyền, tàu
- 船長（せんちょう）: captain of a ship / 船长 船長 / 선장 / กัปตัน / thuyền trưởng

船で日本へ来ました。

わたしの父は船長です。

175 ③ 漢 13	カン	丶 ミ シ 汁 汁 汁 汁
		汁 漢 漢 漢 漢

漢字 (かんじ)	Kanji / 汉字 漢字 / 한자 / ตัวอักษรคันจิ / Chữ Hán	漢字がわかりません。
漢方薬 (かんぽうやく)	Chinese medicine / 中药 中藥 / 한약 / ยาจีน / thuốc Bắc	毎日　漢方薬を飲みます。★ (吃中药 喫中藥 / 먹습니다 / กิน / uống)

176 ③ 荷 10	に (カ)	一 十 丗 丗 芢 荷 荷
		荷 荷

荷物 (にもつ)	baggage / 行李 东西 東西 / 짐 / สัมภาระ / hành lý	この荷物はアメリカまでいくらですか。

177 ③ 物 8	もの ブツ (モツ)	丿 ㇉ 牛 牛 牜 物 物 物

食べ物 (たべもの)	food / 食物 / 음식 / ของกิน, อาหาร / món ăn	日本の食べ物はおいしいです。
買い物 (かいもの)	shopping / 买东西 買東西 / 쇼핑 / การซื้อของ, การช้อปปิ้ง / mua sắm	日曜日　デパートで買い物しました。
見物します (けんぶつします)	to go sightseeing / 游览 遊覽 / 구경합니다 / เข้าชม, เที่ยวชม / thăm quan, ngắm cảnh	来週　友達と日光を見物します。

| 178 ④ 回 6 | まわ-します -ります / カイ | 一 | 冂 | 冂 | 回 | 回 | 回 | | |

3回	three times / 三次 / 3번 / สามครั้ง / 3 lần	テープを3回聞きました。	
回します	to turn / 传转 傳轉 / 돌립니다 / หมุน / xoay	このハンドルを右へ回します。	

| 179 ④ 台 5 | タイ ダイ | 丿 | ム | 台 | 台 | 台 | | | |

1台	1(when counting machinery) / 一辆 一台 一輛 一臺 / 1대 / หนึ่งคัน / 1 chiếc (đếm xe cộ, máy móc)	車が1台あります。
台所	kitchen / 厨房 廚房 / 부엌 / ห้องครัว / bếp, nhà bếp	母は台所にいます。
台風	typhoon / 台风 颱風 / 태풍 / ไต้ฝุ่น / bão	来週 台風が来ます。

| 180 ③ 階 12 | カイ ガイ | 丿 | 3 | 阝 | 阝- | 阝ヒ | 阝ヒ | 阝ヒ |
| | | 阝ヒ | 阝比 | 階 | 階 | | | |

3階	3rd floor / 三楼 三樓 / 3층 / ชั้นสาม / tầng 3	かばん売り場は3階です。
階段	stairs / 楼梯 樓梯 / 계단 / บันได / cầu thang	トイレは階段の前にあります。

181 ⑤ 雨 8	あめ ウ	一	丆	冂	币	両	雨	雨	雨

雨 (あめ)	rain / 雨 / 비 / ฝน / mưa	きのうは雨でした。 ★(下雨了/비가 왔습니다/ฝนตก)
雨天 (うてん)	rainy weather / 雨天 / 우천 / ฝนตก / trời mưa	雨天の場合は中止です。 ★(หากฝนตกจะทำการยกเลิก/trời mưa thì sẽ hủy)

182 ④ 雪 11	ゆき (セツ)	一	丆	冂	币	両	雨	雨	雨
		雪	雪	雪					

雪 (ゆき)	snow / 雪 / 눈 / หิมะ / tuyết	きょうは雪です。 ★(下雪/눈이 내립니다/หิมะตก/hôm nay tuyết rơi)

183 ④ 雲 12	くも (ウン)	一	丆	冂	币	両	雨	雨	雨
		雲	雲	雲	雲				

雲 (くも)	cloud / 云 雲 / 구름 / เมฆ / mây	青い空、白い雲。 ★(sky/天空 天/하늘/ท้องฟ้า/trời, bầu trời)

184 ⑤ 空 8	そら から (あ-けます) クウ	'	''	宀	宀	空	空	空	空

そら 空	sky / 天空 天 / 하늘 / ท้องฟ้า / trời, bầu trời	きょうは空がきれいです。
から 空	empty / 空 / 빈 / ว่างเปล่า / trống	この箱は空です。
くうき 空気	air / 空气 空氣 / 공기 / อากาศ / không khí	この部屋は空気が悪いです。

185 ⑤ 天 4	(あめ) テン	一	二	天	天

| てんき 天気 | weather / 天气 天氣 / 날씨 / อากาศ / thời tiết | 先週はとてもいい天気でした。 |

186 ⑤ 店 8	みせ テン	'	亠	广	广	庁	店	店	店

| みせ 店 | shop / 商店 / 가게 / ร้าน / cửa hàng | この店のほうがテレビが安いです。 |
| ばいてん 売店 | newsstand / 小卖店 小賣店 / 매점 / ร้านขายของ / quầy bán hàng | 駅の売店で新聞を買います。 |

187 ⑤ 多 6	おお-い タ	ノ	ク	タ	多	多		

多い	many/much / 多的 / 많다 / มาก / nhiều	東京は人が多いです。
多少	a little bit / 多少 / 다소,약간 / เล็กน้อย, บ้าง / ít nhiều	スペイン語を多少話すことができます。

188 ⑤ 少 4	すこ-し すく-ない (ショウ)	ノ	小	小	少			

少し	a little / 一点 一點 / 조금 / นิดหน่อย / một ít	わたしは韓国語が少しわかります。
少ない	few / 少 / 적다 / น้อย / ít	きのうのパーティーは 女の人が少なかったです。

189 ④ 遠 13	とお-い エン	一	十	土	士	吉	吉	声	克
		袁	袁	袁	遠	遠			

遠い	far / 远的 遠的 / 멀다 / ไกล / xa	わたしの家は 駅から遠いです。
遠足	excursion / 远足 郊游 遊足 郊遊 / 소풍 / ทัศนศึกษา / dã ngoại, đi chơi xa	あしたは学校の遠足です。
遠慮なく	without hesitation / 不要客气 別客气 不用客气 / 不要客氣 甭客氣 不用客氣 / 사양치 않고 / โดยไม่เกรงใจ / không câu nệ	遠慮なくいただきます。

| 190 近 ④ 7 | ちか-い キン | ノ | ノ | 厂 | 斤 | 斤 | 沂 | 近 | |

近く	nearby / 附近 / 근처 / ใกล้ๆ / gần, gần đây		この近くに郵便局はありますか。
近い	near / 近的 / 가깝다 / ใกล้ / gần		わたしの家は駅から近いです。
近所	neighborhood / 附近 / 근처 / แถวบ้าน / hàng xóm		近所にスーパーがあります。

| 191 暖 13 | あたた-かい ダン | l | 冂 | 月 | 日 | 日´ | 日´´ | 日´´´ | 日´´´´ |
| | | 日´´´´´ | 日´´´´´´ | 昁 | 暖 | 暖 | | | |

暖かい	warm (except when speaking of food and water) / 暖和 温暖 / 따뜻하다 / อบอุ่น / ấm áp (chỉ sự ấm áp, ngoại trừ nói về thức ăn và nước)		きのうはとても暖かったです。
暖房	heater / 暖气 暖氣 / 난방 / เครื่องทำความอุ่น / điều hòa sưởi		この部屋は暖房がありません。

| 192 温 ③ 12 | あたた-かい オン | 、 | 冫 | 氵 | 汜 | 沪 | 沪 | 沮 | |
| | | 沮 | 沮 | 温 | 温 | | | | |

温かい	warm (when speaking of food and water) / 暖和 / 따뜻하다 / อุ่น / ấm (khi nói về thức ăn và nước)		温かいスープが飲みたいです。
温度	temperature / 温度 / 온도 / อุณหภูมิ / nhiệt độ		この部屋の温度は28度です。

193 ④ 早 6	はや-い ソウ	丶	冂	冂	日	旦	早		

早く	early / 早 / 일찍 / เร็ว, ด่วน / sớm	きのうの晩早く寝ました。
早朝	early morning / 早晨 清晨 清早 / 조조,이른 아침 / เช้าตรู่ / sáng sớm	早朝 公園でジョギングをします。

194 ③ 速 10	はや-い ソク	一	冂	冂	束	束	束	束	冫束
		速	速						

速い	fast / 快的 / 빠르다 / เร็ว / nhanh	車と電車とどちらが速いですか。
高速道路	freeway / 高速公路 / 고속도로 / ทางด่วน / đường cao tốc	あれは新しい高速道路です。

195 ③ 旅 10	たび リョ	丶	亠	方	方	方	方	斿
		斿	旅					

旅行	travel/trip / 旅行 / 여행 / การเดินทาง / du lịch	旅行はとても楽しかったです。
旅	travel/trip / 旅游 旅遊 旅行 / 여행 / การเดินทาง / du lịch, chuyến đi	一人で旅をしました。

196 出 5	で-ます だ-します シュツ	丨	十	屮	出	出		

出ます	to depart/to leave / 出门 出 出門 出去 / 나갑니다 / ออก / rời khỏi, xuất phát từ	リーさんは毎朝8時に家を出ます。
出します	to send out/to put out / 寄 拿 / 냅니다 / ยื่น, ส่ง / gửi (thư), đưa ra	きのう友達に手紙を出しました。 ★ (mailed out / 寄 寄出去 / 편지를 보냈습니다 / ส่งจดหมาย / gửi thư)
外出します	to go out / 外出 / 외출합니다 / ออกไปข้างนอก / đi ra ngoài	父は今、外出しています。

197 入 2	はい-ります い-れます ニュウ	ノ	入					

入ります	to go into / 进入 進入 / 들어갑니다,들어옵니다 / เข้า / đi vào, vào	あのお店に入りましょう。
入れます	to put into / 放入 / 넣습니다 / ใส่ / đưa vào, cho vào	わたしはコーヒーに砂糖を入れません。
輸入します	to import / 进口 输入 進口 輸入 / 수입합니다 / นำเข้า / nhập khẩu	サウジアラビアから石油を輸入します。

198 送 9	おく-ります ソウ	丶	丷	丼	䒑	关	关	送
		送						

送ります	to send / 寄 送 / 부칩니다 / ส่ง / gửi	おととい国に荷物を送りました。
送ります	to see off / 送 / 배웅합니다 / ส่ง tiễn, đưa về	友達に車で家まで送ってもらいました。
送金します	to remit money / 汇款 匯款 / 송금합니다 / ส่งเงิน / gửi tiền	先週父から送金してもらいました。

199 遊 12	あそ-びます ユウ	丶	亠	宀	方	方	方	斿
		斿	斿	遊	遊			

遊びます	to play / 玩儿 游玩 玩 遊玩 玩耍 / 놉니다 / เที่ยว, เล่น / chơi	土曜日いっしょに遊びに行きませんか。
遊園地	amusement park / 游乐园 遊樂園 / 유원지 / สวนสนุก / khu vui chơi, khu giải trí	きのう子どもと遊園地へ行きました。

200 欲 11	ほ-しい ヨク	丶	ハ	公	父	父	谷	谷	谷
		谷′	欲	欲					

欲しい	to want (adjective) / 想要 要 / 가지고 싶습니다, 원합니다 / อยากได้, ต้องการ / muốn	わたしは新しい車が欲しいです。
食欲	appetite / 食欲 / 식욕 / ความอยากอาหาร / muốn ăn, thèm ăn	あまり食欲がありません。

201 結 12	むす-びます ケツ	く	纟	幺	丝	糸	糸	紗	紝
		紝	結	結	結				

結婚します	to marry / 結婚 結婚 / 결혼합니다 / แต่งงาน / kết hôn	わたしは来年 山田さんと結婚します。
結びます	to tie / 邦 綁 / 맵니다 / ผูก, มัด / nối, buộc	靴のひもを結びます。

202 言 7	⑤ い-います こと ゲン (ゴン)	、	一	三	言	言	言	言

言います	to tell/to say / 说 說 / 말합니다 / กล่าว, บอก, พูด / nói	もう一度名前を言ってください。
言葉	word / 语句 語句 / 말 / คำ, คำศัพท์ / từ	たくさん言葉を覚えました。
言語	language / 语言 語言 / 언어 / ภาษา / ngôn ngữ	いろいろな言語を勉強します。

203 話 13	⑤ はな-します はなし ワ	、	二	三	言	言	言	言	言
		訐	訐	訐	話	話			

話します	to speak/to talk / 说话 交谈 說話 交談 / 이야기합니다 / คุย, พูด / nói chuyện	山田さんは今だれと話していますか。
話	speech / 话(儿) 話(兒) / 이야기 / เรื่อง / câu chuyện	あの人の話はおもしろくないです。
電話	telephone / 电话 電話 / 전화 / โทรศัพท์ / điện thoại	リンダさんは今電話をかけています。

204 呼 8	よ-びます (コ)	丶	口	口	口'	口'	叮	呸	呼

呼びます	to call / 叫 招呼 / 부릅니다 / เรียก / gọi	タクシーを呼びましょうか。
呼びます	to invite / 邀 邀请 邀請 / 초대합니다 / เชิญ, ชวน / kêu, gọi, mời	誕生日のパーティーに友達を呼びたいです。

205 取 (8画)

と-ります / (シュ)

筆順: 一 T F F E 耳 取 取

取ります — to get / 拿 取 / 집습니다 / ถอดออก, เอา, หยิบ / lấy, chuyển
　すみません、ソースを取ってください。
　★ Pass me the sauce, please. / ช่วยหยิบซอสให้หน่อย / phiền anh chuyển giúp tôi chai nước sốt.

取ります — to take / 记下 做记录 記下 做記錄 / 적습니다 / จด / ghi lại
　ちょっと待ってください。今メモを取ります。

206 覚 (12画)

おぼ-えます / さ-めます / -まします / (カク)

筆順: 丶 丷 ⺌ ⺍ 宀 ⺍ 兯 学 学 学 覚 覚

覚えます — to memorize / 记 记得 記 記得 / 기억합니다 / จำ / nhớ, ghi nhớ
　この漢字はもう覚えましたか。

目覚まし時計 — alarm clock / 闹钟 鬧鐘 / 자명종 / นาฬิกาปลุก / đồng hồ báo thức
　目覚まし時計をセットしました。

207 急 (9画)

いそ-ぎます / キュウ

筆順: ノ ク ク 刍 刍 刍 急 急 急

急ぎます — to hurry / 快点 赶紧 快點 趕緊 / 서두릅니다 / รีบ / gấp, vội
　時間がありませんから、急ぎましょう。

特急 — limited express / 特快 特別快车 特粵快車 / 특급 / รถด่วนพิเศษ / tốc hành, đặc biệt
　上野から特急で行きましょう。

| 208 伝 (6) | つた-います -えます -わります / デン | ノ | イ | 仁 | 仁 | 伝 | 伝 | |

| 手伝います* | to help / 帮助 帮忙 幫助 幫忙 / 도와줍니다 / ช่วย / giúp, gúp đỡ | わたしはヤンさんの仕事を手伝います。 ★(help with work) |
| 伝言 (でんごん) | message / 传话 口信 傳話 / 전언 / ข้อความ / lời nhắn, tin nhắn lại | なにか伝言はありませんか。 |

| 209 番 (12) | バン | 一 | 丶 | 丷 | 罒 | 平 | 平 | 采 | 采 |
| | | 釆 | 番 | 番 | 番 | | | | |

一番 (いちばん)	first (place)/the most/the best / 第一 最… / 제일,가장 / ที่สุด / thứ nhất	クラスでだれが一番歌が上手ですか。
番組 (ばんぐみ)	TV program/radio program / 节目 節目 / 프로 / รายการ / chương trình	どんなテレビ番組が好きですか。
～番線 (ばんせん)	track number / ～号线 ～號線 / ～번선 / ชานชลาที่～, สายที่～ / sân ga số～	新幹線は何番線ですか。

| 210 号 (5) | ゴウ | 丶 | 丷 | 口 | 므 | 号 | | |

番号 (ばんごう)	number / 号码 號碼 / 번호 / หมายเลข, เบอร์, เลข / số, số hiệu	電話番号を教えてください。
信号 (しんごう)	traffic signal / 信号 信號 / 신호 / สัญญาณไฟจราจร / tín hiệu	信号が黄色です。気をつけてください。
15号室 (ごうしつ)	room 15 / 15号 15號 / 15호실 / ห้องเบอร์สิบห้า / phòng số 15	ホテルの部屋は15号室です。

211 方 (4画)
かた / ホウ

筆順: 丶 亠 方 方

使い方 (つかいかた)	how to use / 使用方法 用法 / 사용하는 방법 / วิธีใช้ / cách dùng, cách sử dụng	あのビデオの使い方がわかりますか。
夕方 (ゆうがた)	evening / 傍晚 / 저녁 / ตอนเย็น / buổi chiều tà	いつも夕方買い物します。
方 (ほう)	direction/toward / 方向 方嚮 / 방향 / ทาง / hướng, phía	古田さんは駅の方へ行きました。

212 線 (15画)
セン

筆順: く 幺 幺 彳 糸 糸 糹 糹 紗 紗 絅 綍 綒 線 線

新幹線 (しんかんせん)	Shinkansen (bullet train) / 新干线 新幹線 / 신간선 / รถไฟชินคันเซ็น / tàu Shinkansen (tàu cao tốc hình viên đạn)	新幹線でどのくらいかかりますか。
電線 (でんせん)	electric wire/power line / 电线 電線 / 전선 / สายไฟ / dây điện	電線が切れています。

213 塩 (13画)
しお / エン

筆順: 一 十 土 土 圵 圹 坧 垳 垆 垆 垆 塩 塩

塩 (しお)	salt / 盐 鹽 / 소금 / เกลือ / muối	すみませんが、塩を取ってください。
塩分 (えんぶん)	amount of salt / 盐分 鹽分 / 염분 / ปริมาณเกลือ / lượng muối	塩分が多い食べ物は体に悪いです。

214 立 (5画)

- たてます / たちます
- リツ

Stroke order: 丶 亠 产 立 立

立ちます	to stand / 站 / 섭니다 / ยืน / đứng	あそこに立っている人はだれですか。
組み立てます	to put together/to assemble / 组装 組裝 / 조립합니다 / ประกอบ / lắp ráp	この工場で自動車を組み立てます。
国立	national / 国立 國立 / 국립 / แห่งชาติ / quốc lập	国立病院で働いています。

215 売 (7画)

- うります
- バイ

Stroke order: 一 十 士 丰 声 売 売

売ります	to sell / 卖 賣 / 팝니다 / ขาย / bán	はがきはどこで売っていますか。
売り場	shop/counter/department / 柜台 售货处 出售处 櫃臺 售貨處 出售處 / 매장,판매점 / ที่ขาย / nơi bán, góc bán hàng	食品売り場は何階ですか。
売店	newsstand / 小卖店 小賣店 / 매점 / ร้านขาย / quầy bán hàng	毎朝 駅の売店で新聞を買います。

216 消 (10画)

- けします / きえます
- ショウ

Stroke order: 丶 冫 氵 氵 沙 沪 消 消 消

消します	to turn off/to erase / 关 熄 關 / 끕니다 / ปิด, ดับ / tắt, xóa	テレビを消してもいいですか。
消えます	to go out/to disappear / 熄灭 熄滅 / 꺼집니다 / ดับ / tắt	あ、電気が消えました。
消防車	fire engine / 救火车 消防车 救火車 消防車 / 소방차 / รถดับเพลิง / xe cứu hỏa	あの赤い車は消防車です。

217 作 7	つく-ります / サク / サ	ノ	イ	イ	竹	作	作	

作ります (つく)	to make / 做 制作 做 製作 / 만듭니다 / ทำ, จัดทำ / làm, nấu	このケーキはわたしが作りました。
作文 (さくぶん)	composition/essay / 作文 / 작문 / เรียงความ / bài luận	来週までに作文を出してください。
作業 (さぎょう)	work / 工作 作业 作業 / 작업 / การทำงาน, งาน / công việc, tác nghiệp	この作業は何時に終わりますか。

218 開 12	あ-けます / -きます / ひら-きます / カイ	l	ｒ	ｒ	ｐ	ｐﾞ	門	門
		門	閂	開	開			

開けます (あ)	to open (something) / 打开 开 打開 開 / 엽니다 / เปิด / mở ra (cửa)	暑いですから窓を開けてもいいですか。
開きます (ひら)	to open/to open (something) / 开 翻开 打开 開 翻開 打開 / 열립니다 / เปิด / mở ra	教科書の34ページを開いてください。
開店 (かいてん)	opening a shop (daily) / 开张 开 開張 開 / 개점 / การเปิดร้าน / khai trương cửa hàng	このデパートの開店時間は10時です。

219 閉 11	し-めます / -まります / と-じます / ヘイ	l	ｒ	ｒ	ｐ	ｐﾞ	門	門
		門	閉	閉				

閉めます (し)	to close / 关 關 / 닫습니다 / ปิด / đóng, đóng vào (cửa)	雨ですね。窓を閉めましょう。
閉じます (と)	to close / 关 闭上 合上 關 閉上 / 덮습니다, 닫힙니다 / ปิด / đóng lại, gập vào (sách)	テストですから、本を閉じて下さい。
閉会式 (へいかいしき)	closing ceremony / 闭幕典礼 闭幕式 閉幕典禮 閉幕式 / 폐회식 / พิธีปิดงาน / lễ bế mạc	オリンピックの閉会式は来週です。

220 持 9	も-ちます (ジ)	一	十	扌	扌	扩	扩	拌	持
		持							

持ちます	to have/to hold / 带 帶 拿 / 가집니다 / มี, ถือ / có, cầm	今 パスポートを持っていますか。
気持ち	feeling / 感情 感覚 感覺 / 기분,감정 / ความรู้สึก / tâm trạng, cảm xúc	靴がぬれました。気持ちが悪いです。
☆(気分)	feeling/mood / 心情 / 기분 / อารมณ์,ความรู้สึก / tình trạng cơ thể	(熱があります。気分が悪いです。)

221 待 9	ま-ちます タイ	ノ	ク	イ	彳	彳	冫	待	待
		待							

待ちます	to wait / 等 待 / 기다립니다 / คอย, รอ / chờ	すみません。ちょっと待ってください。
招待します	to invite / 邀请 招待 邀請 / 초대합니다 / เชิญ, ชวน / mời	友達を家に招待しました。

222 身 7	み シン	ノ	イ	冂	勹	自	身	身	

身長	height / 身长 身高 身長 / 신장,키 / ส่วนสูง / chiều cao	身長は何センチですか。
出身	hometown/birthplace / 出身 籍贯 籍貫 / 출신 / บ้านเกิด / xuất thân, nơi sinh	あなたの出身はどちらですか。
中身	content / 里面 内容 裏面 / 속(에든 것),알맹이,내용 / ของข้างใน, เนื้อหา / nội dung, bên trong	この箱の中身は何ですか。

223 知 (8, ④)

し-ります / チ

Stroke order: ノ ト ヒ 乍 矢 知 知 知

知ります	to know / 知道 / 압니다 / ทราบ, รู้, รู้จัก / biết	山田さんの奥さんを知っていますか。
☆(わかります)	to understand / 了解 / 이해할 수 있습니다 / เข้าใจ / hiểu	(この計算がわかりますか。)
知人	acquaintance / 相识 熟人 相識 / 지인 / คนรู้จัก / người quen	東京に知人はいません。

224 仕 (5, ③)

(つか-えます) / シ

Stroke order: ノ イ 仁 什 仕

仕事	work / 工作 / 일 / งาน / công việc	今週は 日曜日も仕事です。 ★(工作/일합니다/ทำงาน/có công việc)

225 事 (8, ③)

(こと) / ジ

Stroke order: 一 ナ 亓 亘 写 写 写 事

食事します	to have a meal/dine / 吃饭 吃飯 / 식사합니다 / กินอาหาร / ăn	いっしょに食事しませんか。
用事	business/errand / 事 事情 / 볼일 / ธุระ / việc bận	午後から用事があります。
事故	accident / 事故 / 사고 / อุบัติเหตุ / sự cố, tai nạn	きのうの夜 横浜で事故がありました。

226 ④ 工 3	コウ ク	一	丁	工				

こうじょう 工場	factory / 工厂 工廠 / 공장 / โรงงาน / nhà máy, công trường	先週　工場を見学しました。
こうじ 工事	construction / 工程 工事 施工 / 공사 / การก่อสร้าง / xây dựng, thi công	午後9時から12時まで工事をします。
だいく 大工	carpenter / 木匠 木工 / 목수 / ช่างไม้ / thợ mộc	「お仕事は何ですか。」「大工です。」

227 ④ 場 12	ば ジョウ	一	十	土	圠	圢	坦	坦
		坦	圽	場	場			

ばしょ 場所	place / 场所 地方 場所 / 장소 / สถานที่ / nơi, địa điểm	ベッドを置く場所がありません。
かいじょう 会場	location of an event/venue / 会场 會場 / 회장 / สถานที่จัดงาน / hội trường	パーティーの会場はどこですか。

228 ③ 委 8	イ	一	二	千	手	禾	秃	委
		委						

いいん 委員	member of a committee / 委员 委員 / 위원 / กรรมการ / ủy viên	田中さんはクラス委員です。
いいんかい 委員会	committee / 委员会 委員會 / 위원회 / การประชุมคณะกรรมการ / ủy ban	あした3時から委員会を開きます。

229 ③	イン	丶	丷	口	尸	月	月	冐	冒
員 10		員	員						

ぎんこういん 銀行員	bank clerk / 银行职员 銀行職員 / 은행원 / พนักงานธนาคาร / nhân viên ngân hàng	わたしの兄は銀行員です。
しゃいん 社員	employee / 公司职员 职员 公司職員 職員 / 사원 / พนักงานบริษัท / nhân viên công ty	この会社の社員は60人です。
ぜんいん 全員	all members / 全体 全员 全員 / 전원 / ทุกคน / tất cả mọi người	クラス全員で、富士山へ行きました。

230 ③	す-みます	ノ	イ	亻	亻	住	住	住	
住 7	ジュウ								

す 住みます	to live (in a place) / 住 / 삽니다 / อาศัย / sống	トムさんは新宿に住んでいます。
じゅうしょ 住所	address / 住所 地址 住址 / 주소 / ที่อยู่ / địa chỉ	住所を教えてください。

231 ③	ところ	一	ヲ	ヨ	戸	戸	所	所	所
所 8	ショ								

じむしょ 事務所	office / 办公室 辦公室 / 사무소 / ที่ทำการ / văn phòng	鈴木さんは事務所にいます。
ところ 所	place / 地方 / 곳 / สถานที่ / nơi	奈良はどんな所ですか。

232 ④ 戸 4	と コ	一	ラ	ヨ	戸			

| 戸 | door / 门 門 / 문 / ประตู / cửa | 戸を閉めてください。 |
| 一戸建て (いっこだて) | detached house / 独门独院的房子 獨門獨院的房子 / 주택 / บ้านเดี่ยว / nhà riêng, một căn riêng biệt | 一戸建ての家はとても高いです。 |

233 ③ 都 11	みやこ ト ツ	一	十	土	耂	耂	者	者
		者	者	都				

都会 (とかい)	city/urban area / 城市 / 도시 / เมืองใหญ่ / đô thị, thành phố	都会は空気が悪いです。
都 (みやこ)	capital/metropolis / 首都 皇宮所在地 / 수도 / เมืองกรุง, เมืองหลวง / kinh đô	むかし京都に都がありました。
都合 (つごう)	convenience / 情况 情況 / 형편 / ความสะดวก / thời gian thuận tiện, điều kiện (thích hợp)	あしたは都合が悪いです。 ★(not a good time / 不方便 / ไม่สะดวก / không tiện)

234 ③ 府 8	フ	丶	亠	广	广	疒	庁	府	府

大阪府 (おおさかふ)	Osaka prefecture / 大阪府 / 오사카부 / จังหวัดโอซาก้า / phủ Osaka	住所は大阪府吹田市です。
政府 (せいふ)	government / 政府 / 정부 / รัฐบาล / chính phủ	政府はいろいろな仕事をしています。
都道府県 (とどうふけん)	prefectures of Japan / 都道府县 都道府縣 / 일본 전국의 행정 구획의 총칭 / จังหวัด / đô đạo phủ huyện (đơn vị hành chính của Nhật Bản)	日本には47都道府県あります。

235 県 (9画) ③ ケン

筆順: 丨 冂 月 月 目 旦 早 県

埼玉県（さいたまけん）	Saitama prefecture / 埼玉县 埼玉縣 / 사이타마현(행정구획의 이름) / จังหวัดไซตะมะ / tỉnh Saitama	わたしは埼玉県に住んでいます。
県庁（けんちょう）	prefectural office / 县政府 縣政府 / 현청(도청에 상당함) / ศาลากลางจังหวัด / cơ quan hành chính tỉnh, UBND tỉnh	神奈川県の県庁は横浜市にあります。
県立（けんりつ）	prefectural / 县立 縣立 / 현립(현이 세워 운영함) / แห่งจังหวัด / tỉnh lập, do tỉnh lập ra	弟は県立の高校に通っています。

236 区 (4画) ③ ク

筆順: 一 フ 又 区

千代田区（ちよだく）	Chiyoda ward / 千代田区 千代田區 / 치요다구 / เขตจิโยะดะ / quận Chiyoda	わたしの会社は千代田区にあります。
区別（くべつ）	distinction / 区别 區別 / 구별 / การแยกแยะ, การแบ่งแยก / phân biệt	これは本物のルビーと区別がつきません。
区役所（くやくしょ）	ward office / 区公所 区政府 區公所 區政府 / 구청 / ที่ว่าการอำเภอ / ủy ban nhân dân quận	先週区役所へ行きました。

237 市 (5画) ④ いち / シ

筆順: 丶 亠 丅 市 市

さいたま市の市長（しちょう）	mayor of Saitama city / 埼玉市的市长 埼玉市的市長 / 사이타마시의 시장 / นายกเทศมนตรีของเมืองไซตะมะ / thị trưởng của thành phố Saitama	きのう さいたま市の市長に会いました。
市場（しじょう）	market / 市场 市場 / 시장 / ตลาด / thị trường	ロンドンの株式市場はきょう休みです。 ★ the stock market / 股份 股票 / 주식시장 / ตลาดหุ้น / thị trường chứng khoán
市場（いちば）	market / 市场 市場 菜市 / 시장 / ตลาด / chợ	毎朝　市場で野菜を買います。

238 郡 10	グン	フ	ヲ	ヨ	尹	尹	君	君	君ˀ
		君ろ	郡						

西多摩郡 (にしたまぐん)	Nishitama county / 西多摩郡 / 니시타마군 / อำเภอนิชิทะมะ / khu/hạt Nishitama	妹の住所は東京都西多摩郡日の出町です。

239 村 7	むら / ソン	一	十	才	木	木	村	村

村 (むら)	village / 村 村庄 村莊 / 마을 / หมู่บ้าน / làng, thôn	わたしは小さい村で生まれました。
農村 (のうそん)	farming village / 农村 農村 / 농촌 / ชุมชนเกษตร / nông thôn	静かな農村に住みたいです。

240 州 6	(す) / シュウ	'	リ	少	州	州	州

ミネソタ州 (しゅう)	Minnesota State / 明尼苏达州 明尼蘇達州 / 미네소타주 / รัฐมินนิโซต้า / Bang Minesota	リンダさんはミネソタ州の出身です。
本州 (ほんしゅう)	Honshu (main island of Japan) / 本州 / 혼슈 / เกาะฮอนชู / Honshu	本州と九州の間に関門トンネルがあります。
九州 (きゅうしゅう)	Kyushu (name of a region) / 九州 / 큐슈 / เกาะคิวชู / Kyushu	

241 ④ 力 2	ちから リョク リキ	フ 力						
ちから 力	strength / 力气 力 力量 力氣 / 힘 / กำลัง, แรง / sức mạnh				トムさんは力があります。			
すいりょく 水力	hydraulic power / 水力 / 수력 / พลังน้ำ / sức nước				水力で電気を作ります。			
りきさく 力作	work of great effort / 精心的作品 精心作品 / 역작 / ผลงานที่ทุ่มเททำ / tác phẩm kỳ công				この絵は力作ですね。			
242 ⑤ 口 3	くち コウ (ク)	丨 口 口						
くち 口	mouth / 嘴 口 / 입 / ปาก / miệng, mồm				口を開けてください。かぜですね。			
いりぐち 入口	entrance / 进口 入口 進口 / 입구 / ทางเข้า / cửa vào				地下鉄の入口はどこですか。			
じんこう 人口	population / 人口 / 인구 / ประชากร / dân số				日本の人口はどのくらいですか。			
243 ⑤ 目 5	め モク	丨 冂 冂 月 目						
め 目	eye / 眼 眼睛 / 눈 / ตา / mắt				キムさんは目がきれいです。			
もくじ 目次	table of contents / 目录 目次 目錄 / 차례 / สารบัญ / mục lục				目次を見てください。			

244 ⑤ 耳 6	みみ ジ	一	丆	亓	丆	巨	耳		

耳(みみ)	ear / 耳朵 / 귀 / หู / tai	象の耳は大きいです。
耳鼻科(じびか)	otolaryngology department/ear and nose specialist / 耳鼻科 / 이비인후과 / แผนกหูคอจมูก / khoa tai mũi	アレルギーですから耳鼻科へ行きます。

245 ③ 鼻 14	はな (ビ)	´	⼂	冖	白	白	自	自	鳥
		鳥	鳥	畠	畠	鼻	鼻		

鼻(はな)	nose / 鼻子 / 코 / จมูก / mũi	シラノさんの鼻は大きいです。

246 ③ 歯 12	は シ	丨	卜	止	止	歩	歩	歩	歩
		歩	柴	歯	歯				

歯(は)	tooth / 牙齿 牙 牙齿 / 이 / ฟัน / răng	毎日歯を磨きます。 ★(brush one's teeth / 刷牙)
歯科(しか)	dental clinic / 牙科 / 치과 / แผนกทันตกรรม / nha khoa, phòng khám nha khoa	歯科の受付は2階です。

247 ④ 顔 18	かお ガン	立 →p.71	产	产	彦	彦	彦	彦	節
		顔	顔	顔	顔	顔	顔		

顔 — face / 脸 面孔 脸 / 얼굴 / หน้า / mặt

顔を洗ってから、寝ます。

洗顔 (せんがん) — washing one's face / 洗脸 洗臉 / 세안 / การล้างหน้า / rửa mặt

洗顔せっけんをください。
★ facial soap / 肥皂 / 세숫 비누 / xà phòng rửa mặt

248 ⑤ 足 7	あし た-ります ソク	丶	口	口	卫	甲	呈	足	

足 (あし) — leg/foot / 脚 腿 脚 / 발,다리 / ขา, เท้า / chân

ジョンさんは足が長いです。

足ります (た) — to be enough / 够 足够 / 족합니다 / เพียงพอ, พอ / đủ

コップがひとつ足りません。
★ We need one more cup. / 缺(差)一个玻璃杯 / 缺(差)一個玻璃杯 / แก้วไม่พอหนึ่งใบ

〜足 (そく) — 〜pairs (of shoes) / 〜双 〜雙 / 〜켤레 / 〜คู่ / 〜đôi (đếm tất, giày dép)

靴を2足買いました。

249 ④ 体 7	からだ タイ (テイ)	ノ	イ	仁	什	仕	休	体	

体 (からだ) — body / 身体 身體 / 몸 / ร่างกาย, ตัว / cơ thể

スポーツは体にいいです。
★ be good for one's health / 对身体好 對身體好

体重 (たいじゅう) — body weight / 体重 體重 / 체중 / น้ำหนักตัว / cân nặng

体重は何キロですか。

250 ⑤ 長 8	なが-い / チョウ	丨	丆	厂	下	上	長	長	長

長い	long / 长的 長的 / 길다 / ยาว / dài	山田さんは髪が長いです。
校長	principal / 校长 校長 / 교장 / ครูใหญ่ / hiệu trưởng	パクさんのお父さんは小学校の校長先生です。

251 ③ 短 12	みじか-い / タン	ノ	上	ヒ	矢	矢	矢	矢	知
		矩	矩	短	短				

短い	short / 短的 / 짧다 / สั้น / ngắn	わたしは髪が短いです。
短期大学	junior college / 短期大学 短期大學 / 단기대학교 / วิทยาลัย / trường cao đẳng	わたしは短期大学で勉強しています。

252 ④ 明 8	あか-るい / メイ	丨	冂	冂	日	日	明	明	明

明るい	bright / 明亮 明朗 亮 / 밝다 / สว่าง, สดใส / sáng	わたしの部屋は明るいです。
説明します	to explain / 说明 說明 / 설명합니다 / อธิบาย / giải thích	すみませんが、もう一度説明してください。

253 暗 (13画)

くら-い / アン

筆順: 丨 冂 日 日 日' 日⺦ 日⺧ 旿 晬 暗 暗 暗

- **暗い** — dark / 黑的 暗的 黑的 / 어둡다 / มืด / tối
- **暗記します** — to memorize/to learn by heart / 背 默记 默記 默背 / 암기합니다 / ท่องจำ / thuộc lòng

このアパートは暗くて　寒いです。

この文を暗記してください。

254 重 (9画)

おも-い (かさ-ねます) / ジュウ

筆順: 一 二 亠 亍 亩 盲 重 重 重

- **重い** — heavy / 沉的 重的 / 무겁다 / หนัก / nặng
- **体重** — body weight / 体重 體重 / 체중 / น้ำหนัก / cân nặng

このかばんは重いです。

わたしの体重は48キロです。

255 軽 (12画)

かる-い (かろ-やか) / ケイ

筆順: 一 厂 亓 亙 亘 車 軒 軑 軽 軽 軽 軽

- **軽い** — light / 輕的 軽的 / 가볍다 / เบา / nhẹ
- **軽食** — light meal / 小吃 便饭 简单饭食 / 小吃 便飯 簡單飯食 / 경식(가벼운 식사) / อาหารเบาๆ / bữa ăn nhẹ

この靴は軽いです。

この喫茶店は　軽食しかありません。

256 広 ④ 5

ひろ-い (ひろ-めます -まります -げます) コウ	丶	亠	广	広	広		

広い	large/wide / 宽广的 寬廣的 / 넓다 / กว้าง / rộng	あの公園は広いです。
広告	advertisement / 广告 廣告 / 광고 / การโฆษณา / quảng cáo	スーパーの広告を見ましたか。

257 乗 ③ 9

の-ります ジョウ	一	二	三	干	乒	乗	乗
	乗						

乗ります	to get on/to ride / 坐 搭 搭乘 骑 騎 / 탑니다 / ขึ้น / đi, cưỡi	電車に乗ります。
乗客	passenger / 乘客 / 승객 / ผู้โดยสาร / hành khách	乗客がバスを待っています。

258 浴 ③ 10

あ-びます ヨク	丶	冫	氵	氵	汐	汐	浴
	浴	浴					

浴びます	to take (a shower) / 淋浴 / 샤워를 합니다 / อาบ / tắm (vòi hoa sen)	寝る前にシャワーを浴びます。 ★(take a shower / 洗淋浴)
入浴します	to take a bath / 洗澡 入浴 沐浴 / 목욕합니다 / อาบน้ำ / tắm	きょうは入浴しないでください。

259 ④ 心 4	こころ / シン	丶	心	心	心			

心 (こころ)	heart/soul / 心 心胸 / 마음 / หัวใจ, จิตใจ / tấm lòng, tâm	田中さんは心が暖かい人です。
中心 (ちゅうしん)	center / 中心 / 중심 / ใจกลาง / trung tâm	町の中心に何がありますか。

260 ③ 配 10	くば-ります / ハイ	一	丆	丆	兀	襾	酉	酉	酉′
		酉′	配						

心配します (しんぱい)	to worry / 担心 担忧 擔心 擔憂 / 걱정합니다 / เป็นห่วง / lo lắng	元気ですから、心配しないでください。
配達します (はいたつ)	to deliver / 投递 送 投遞 / 배달합니다 / ส่ง / chuyển, chuyển phát	あした　午前中に配達してください。
配ります (くば)	to distribute/to deliver / 分发 派 分配 分發 發 分發 / 나누어 줍니다 / แจก / phát, phân phối	テストを配ります。 ★(測驗 測驗) (테스트 용지)

261 ③ 残 10	のこ-します -ります / ザン	一	丆	歹	歹	歹	歹	残
		残	残					

残します (のこ)	to leave (something) / 留 剩下 留下 / 남깁니다 / เหลือ / chừa lại, để lại	ごはんを残してもいいですか。
残ります (のこ)	to stay/to be left / 剩 剩余 剩餘 / 남습니다 / เหลือ / còn lại	宿題が残っています。
残業します (ざんぎょう)	to work overtime / 加点 加點 加班 / 잔업합니다 / ทำงานล่วงเวลา / làm thêm giờ	きょうは残業しなければなりません。

262 ③ 念 8	ネン	ノ	人	今	今	今	念	念	念
ざんねん 残念	regret / 可惜 / 유감스럽습니다 / น่าเสียดาย / đáng tiếc, tiếc	残念ですが、きょうは早く帰らなければなりません。 ★ (I am sorry / 真对不起 / 真對不起)							

263 ④ 止 4	と-めます -まります シ		丨	卜	ト	止			
と 止めます	to stop (something) / 停 止(他动 他動) 停下(他动 他動) / 멈춥니다 / หยุด, จอด / đỗ, dừng	ここに車を止めないでください。							
と 止まります	to stop / 停(自动) 停住(自動) / 멈춥니다 / หยุด, จอด / đỗ, dừng lại	急行電車はこの駅に止まりません。							
ちゅうし 中止します	to stop/to suspend/to cancel / 中止 / 중지합니다 / หยุด, ยกเลิก / hủy, hoãn	雨ですから、ハイキングを中止します。							

264 ③ 返 7	かえ-します -ります ヘン	一	厂	反	反	返	返	返	
かえ 返します	to return/to pay back / 还 归还 還 歸還 / 돌려주다, 갚다 / คืน / trả lại	リンダさんにもうお金を返しましたか。							
へんじ 返事	reply / 回信 回答 / 답장 / คำตอบ / trả lời, hồi âm	山田さんからまだ手紙の返事が来ません。 ★ (回信 / จดหมายตอบ / thư trả lời)							
へんじ 返事	response / 答应 回答 答應 / 대답, 응답 / คำตอบ / trả lời	大きい声で返事をしてください。 ★ (ช่วยตอบเสียงดังๆ / hãy trả lời to nhé)							

265 ④ 絵 12	カイ エ	く	幺	幺	乍	糸	糸	糹	糹
		給	絵	絵	絵				

絵	drawing / 画(儿) 畫(兒) / 그림 / การวาดภาพ, ภาพวาด / bức tranh	わたしは絵が好きです。
絵本	picture book / 画本 画册 畫本 畫冊 / 그림책 / หนังสือภาพ / sách tranh, truyện tranh	わたしはきれいな絵本が欲しいです。
絵画	painting / 绘画 图画 繪畫 圖畫 / 회화 그림 / ภาพวาด / hội họa	わたしの趣味は絵画を集めることです。

266 ③ 泳 8	およ-ぎます エイ	丶	丶	氵	泛	汀	汈	泳	泳

泳ぎます	to swim / 游泳 / 헤엄칩니다 / ว่ายน้ำ / bơi	あなたはどのくらい泳ぐことができますか。
水泳	swimming / 游泳 / 수영 / การว่ายน้ำ / bơi lội	あなたは水泳が好きですか。

267 ③ 練 14	ね-ります レン	く	幺	幺	乍	糸	糸	糹	糹
		紹	紹	紹	綀	練	練		

練習します	to practice/to train / 练习 練習 / 연습합니다 / ฝึกหัด, ฝึกฝน / luyện tập	毎日漢字を練習しましょう。
練ります	to knead / 揉 练造 锻炼 練造 鍛鍊 / 반죽합니다, 문장을 다듬습니다 / กวน, นวด / lập, vạch ra (kế hoạch)	みんなで旅行の計画を練っています。 ★ work out a plan / 拟定计画 擬定計畫 / 계획을 짜고 있습니다 / วางแผน / vạch ra kế hoạch

268 始 8	③ はじ-めます -まります シ	く	ク	女	女¬	女ㄥ	如	始	始

始めます	to begin (something) / 开始(他动) 開始(他動) / 시작(개시)합니다 / เริ่ม / bắt đầu (làm việc gì)	4月から車の運転を始めました。
始まります	to begin/to start / 开始(自动) 開始(自動) / 시작됩니다 / เริ่ม / (cái gì) bắt đầu	映画は12時に始まります。
開始時間	starting time / 开始时间 開始時間 / 개시시간 / เวลาเริ่ม / thời gian bắt đầu	テストの開始時間は10時です。

269 運 12	③ はこ-びます ウン	ノ	ｒ	ｒ	ｒ	冃	冒	冒	旨
			軍	渾	運	運			

運動します	to exercise / 运动 運動 / 운동합니다 / ออกกำลังกาย / vận động	体にいいですから毎日運動しましょう。
運びます	to carry / 搬运 搬運 / 운반합니다 / หาม, ขน / vận chuyển	荷物はあそこに運んでください。

270 転 11	③ ころ-びます (-がします -がります -げます) テン	一	厂	冖	戸	百	亘	車	車
			軻	転	転				

運転	driving / 开驾驶 開駕駛 / 운전 / ขับ / lái	キムさんは車の運転が上手です。
自転車	bicycle / 自行车 自行車 / 자전거 / รถจักรยาน / xe đạp	家内は自転車に乗ることができません。
転びます	to tumble/to fall down / 摔倒 摔倒 / 쓰러집니다,넘어집니다 / หกล้ม / ngã	スキーが下手ですから、よく転びます。

271 刀

かたな / トウ (2画)

筆順: フ 刀

刀 (かたな)	sword / 刀 / 칼 / ดาบ / thanh kiếm	父は古い刀を持っています。
日本刀 (にほんとう)	Japanese sword / 日本刀 / 일본도 / ดาบญี่ปุ่น / kiếm Nhật	あなたは日本刀を見たことがありますか。

日本刀　(식칼)/包丁(ほうちょう)

272 弓

ゆみ / キュウ (3画)

筆順: フ コ 弓

弓 (ゆみ)	bow/archery / 弓 / 활 / คันธนู / cung	これは中国の弓です。
弓道 (きゅうどう)	Japanese archery / 射术 射術 / 궁도, 궁술 / คิวโด, ศิลปะการยิงธนูญี่ปุ่น / cung đạo, môn bắn cung	わたしは弓道を習っています。

273 矢

や (5画)

筆順: ノ ⺈ ⊢ 午 矢

矢印 (やじるし)	arrow (sign) / 箭形符号 箭形符號 / 화살표 / ลูกศร / dấu mũi tên	矢印の方へ進んでください。
矢 (や)	arrow / 箭 / 화살 / ลูกธนู / mũi tên	先生から新しい矢をもらいました。

274 失 (5) ③
うしな-います / シツ

筆順: ノ 丿 仁 失 失

- **失敗します** (しっぱい) — to fail / 失败 失败 / 실패합니다 / ทำผิดพลาด, ล้มเหลว / thất bại
- **見失います** (みうしな) — to lose sight (of) / 迷失 看不到 / (보고 있는 것을) 놓칩니다, 잃습니다 / คลาดสายตา / mất dấu (tên trộm)

あの計画は失敗しました。

泥棒を見失いました。

275 礼 (5) ③
レイ

筆順: 丶 ラ ネ ネ 礼

- **失礼します** (しつれい) — Excuse me. / 对不起 對不起 / 실례합니다 / ขอเสียมารยาท, ขอรบกวน / xin lỗi, cảm phiền
- **お礼** (れい) — thanks / 感谢 谢词 谢礼 感謝 謝詞 謝禮 / 감사의 말, 감사의 선물 / คำขอบคุณ / cám ơn

「どうぞ、入ってください。」
「失礼します。」

田中さんにお礼の手紙を書きました。

276 初 (7) ③
はじ-め / -めて / (はつ) / ショ

筆順: 丶 ラ ネ ネ ネ 初 初

- **初めまして** (はじ) — How do you do? / 初次见面 初次見面 / 처음 뵙겠습니다 / ยินดีที่ได้รู้จัก / xin chào (lần đầu gặp gỡ)
- **初めて** (はじ) — for the first time / 初次 最初 / 처음(으로) / เป็นครั้งแรก / lần đầu
- **最初** (さいしょ) — at first / 最初 起初 / 최초 / ตอนแรก / ban đầu

「初めまして。どうぞよろしく。」

わたしはきのう初めて刺身を食べました。

最初は日本語が全然わかりませんでした。

問題

001～012 A　よんでください。

1.　（　）一　　（　）二　　（　）三　　（　）四

2.　（　）五　　（　）六　　（　）七　　（　）八

3.　（　）九　　（　）十　　（　）百　　（　）千

4.　（　　　）さい 十歳　　（　　　）さい 二十四歳　　（　　　）さい 三十八歳

5.　（　　　）さい 四十一歳　　（　　　）さい 七十六歳　　（　　　）さい 九十歳

6.　（　　）三百　　（　　）四百　　（　　）六百

7.　（　　）八百　　（　　）三千　　（　　）八千

001〜012 B　かいてください。

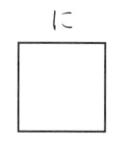

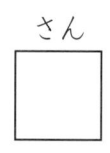

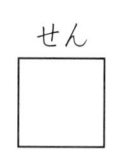

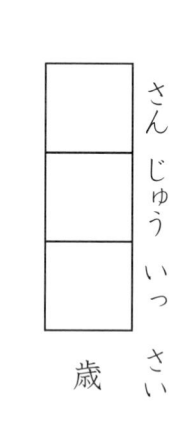

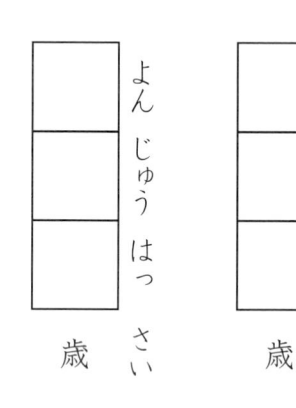

1. □ いち　　□ に　　□ さん
2. □ しよん　　□ ご　　□ ろく
3. □ しち/なな　　□ はち　　□ く/きゅう
4. □ じゅう　　□ ひゃく　　□ せん
5. □じっさい　　□□□ にじゅうごさい　　□□□ さんじゅういっさい　　□□□ よんじゅうはっさい　　□□□ ななじゅうきゅうさい

013〜018A よんでください。

1. ヤンさんは 中 国 人です。
 　　　　　　（　　　　　）

2. パクさんは 韓 国 人 ですか。
 　　　　　（かん　　　）

3. わたしは 田 中 です。
 　　　　　（　　　）

4. わたしたちは 日 本 人 です。
 　　　　　　（　　　　　　）

5. あの 人 はだれですか。
 　　　（　）

019〜024A よんでください。

1. あのビルは 学 校 です。
 　　　　　（　　　　）

2. トムさんは 何 歳 ですか。
 　　　　　（　さい　）

3. あなたの 専 門 はコンピューターですか。
 　　　　（せん　）

4. あの人は 先 生 です。
 　　　　（　　　）

5. ジョンさんも 学 生 です。
 　　　　　　（　　　　）

97

013〜018 B　かいてください。

1.　チョーさんは [中][国][人] ですか。
　　　　　　　　ちゅう ごく じん

2.　山[田] さんは [日][本][人] です。
　　やま だ　　　　に ほん じん

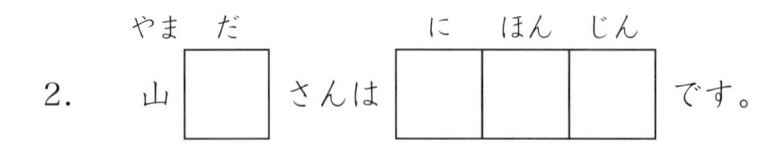

3.　あの [人] は [田][中] さんではありません。
　　　　ひと　　　た なか

019〜024 B　かいてください。

1.　キムさんは [何][歳] ですか。
　　　　　　　なん さい

2.　わたしの [専][門] は電気です。
　　　　　　せん もん　　でんき

3.　メアリーさんは [学][生] です。
　　　　　　　　　がく せい

4.　トムさんは [中][学][校] の [先][生] です。
　　　　　　　ちゅう がっ こう　　せん せい

98

025〜030A　よんでください。

1.　あれは　紙（　　）ですか。

2.　それは　あなたの　時計（　　　）ですか。

3.　これは　先生（　　）の　辞書（　　　）ですか。

4.　この　手紙（　　　）は　わたしのです。

031〜036A　よんでください。

1.　その　本　は　千（　）六百（　　　　）円　です。

2.　これはどこの　毛糸（　　）ですか。オーストラリアの毛糸です。

3.　この　辞書　は　一（　　）万（　　　）円　です。

4.　これはいくらですか。九千五百（　　　　　　　）円　です。

5.　ここは　何（　）の　会社（　　　）ですか。

6.　このテレビは　五万三千（　　　　　　）円　です。

7.　学校（　　　）でテストを　受（　　）けます。

025〜030 B　書いてください。

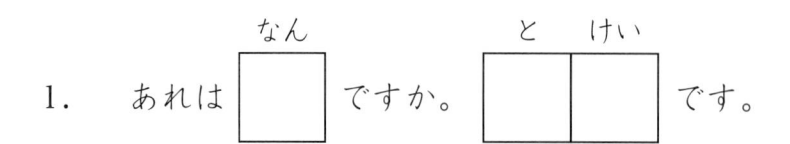

1.　あれは [なん] ですか。[と][けい] です。

2.　これはわたしの [て][がみ] ではありません。

3.　この [じ][しょ] はだれのですか。

4.　その [かみ] に書いてください。

031〜036 B　書いてください。

1.　あれは [なん] の [かい][しゃ] ですか。

2.　この 毛[いと] のセーターは [に][まん][えん] です。

3.　テストを [う け ま す] 。

4.　これは [きゅう][せん][なな][ひゃく][えん] です。

037～042 A　よんでください。

1. きょうは 火曜日（よう）ですか。

2. いいえ、水曜日（よう）です。

3. 教室（　）はどこですか。六階（かい）です。

4. 受付（　）はどちらですか。

5. 月曜日（よう）は 休（やす）みですか。

6. これは日本語の 教科書（か）です。

7. 会議室（ぎ）は 二階（かい）です。

8. すみません、水（　）をください。

101

037〜042 B　書いてください。

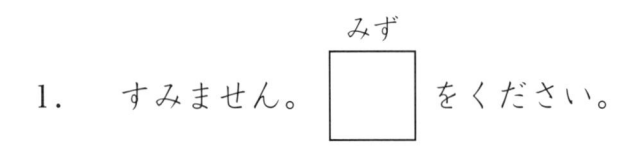

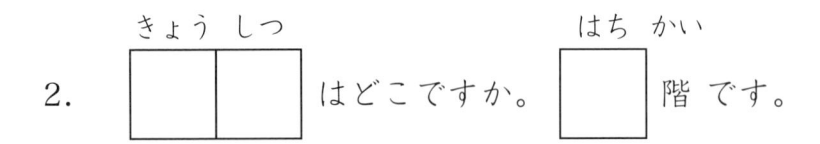

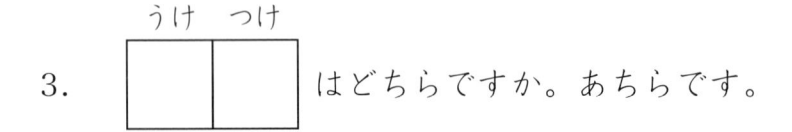

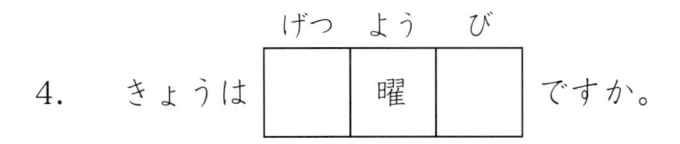

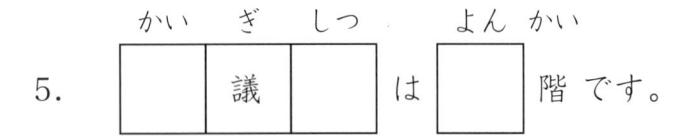

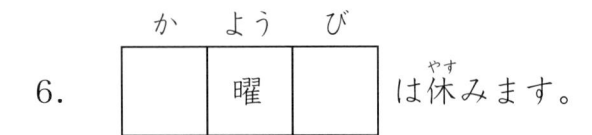

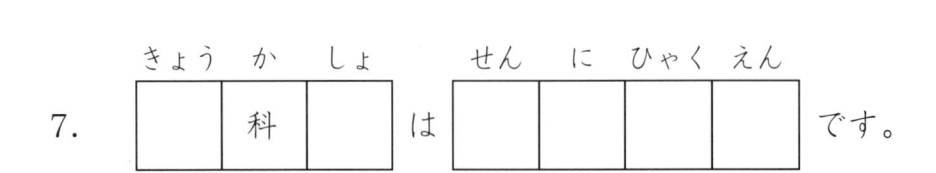

1. すみません。[みず|水]をください。

2. [きょう|教][しつ|室]はどこですか。[はち|八][かい|階]です。

3. [うけ|受][つけ|付]はどちらですか。あちらです。

4. きょうは[げつ|月]曜[び|日]ですか。

5. [かい|会][ぎ|議][しつ|室]は[よん|四][かい|階]です。

6. [か|火]曜[び|日]は休みます。

7. [きょう|教]科[しょ|書]は[せん|千][に|二][ひゃく|百][えん|円]です。

043〜048 A よんでください。

1. 　　（　　　　　）（　　　　　）
　　月曜日 から 金曜日 まで 働(はたら)きます。

2. 　　（　　　　　）
　　木曜日 も 勉強(べんきょう)しますか。

3. 　　（　　）（　　　　）
　　朝、七時 に 起(お)きます。

4. 　　（　　　　　）（　　　　）
　　土曜日 も 学校 へ 行きますか。

5. 　　　　　　　　（　　　　　　　）
　　いいえ、土曜日と 日曜日 は 休(やす)みです。

6. 　　（　　）
　　昼、十二時から一時まで 休(やす)みます。

7. 　　　　　（　　　　　　）
　　きょうは 何曜日 ですか。

103

043〜048 B 書いてください。

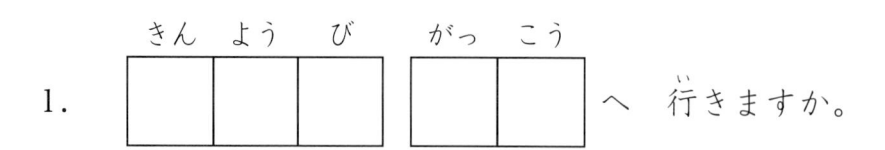

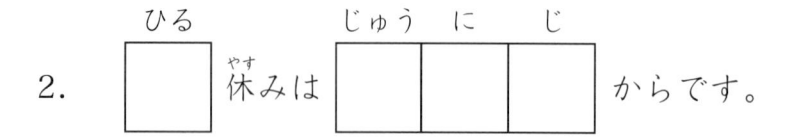

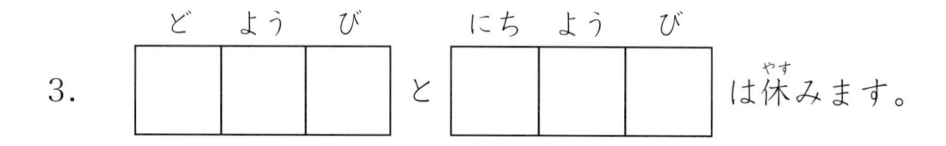

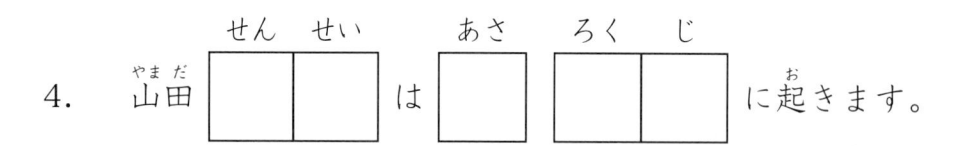

1. [きん][よう][び] [がっ][こう] へ 行きますか。

2. [ひる] 休みは [じゅう][に][じ] からです。

3. [ど][よう][び] と [にち][よう][び] は休みます。

4. 山田[せん][せい] は [あさ][ろく][じ] に起きます。

5. あの [き] は何ですか。

049 ～ 054 A　よんでください。

1.　　　（　　　　）
　　　今　晩　どこへ行きますか。

2.　　　（　　　　）
　　　午　前　6時に起きます。

3.　　　（　　　）（　　）
　　　今　夜　は　月　がきれいです。

4.　　　　　　（　　）
　　わたしは　夜　11時に寝ます。

5.　　　（　　　　）
　　　午　後　から　働きます。

6.　　　（　）
　　　今　何時ですか。

7.　　　（　　　）（　　）
　　　今　月　国　へ帰ります。

8.　　　（　　　　）
　　　午　前　中　は学校で　勉強します。

049～054 B 書いてください。

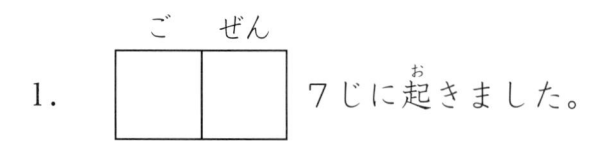

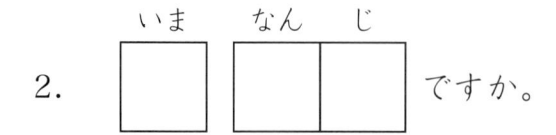

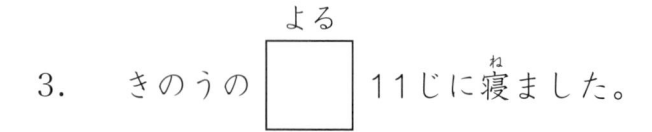

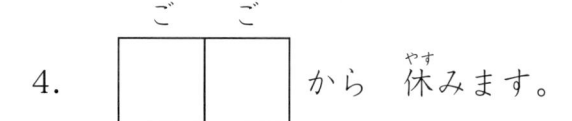

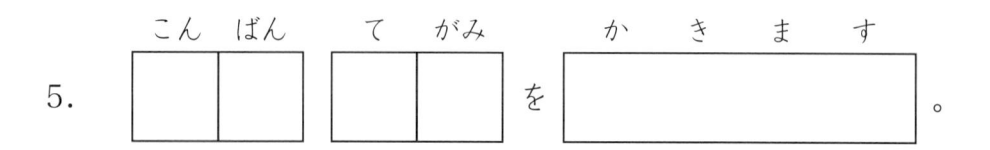

1. ご ぜん
   [ご][ぜん] 7じに起きました。

2. いま なん じ
   [いま] [なん][じ] ですか。

3. よる
   きのうの [よる] 11じに寝ました。

4. ご ご
   [ご][ご] から 休みます。

5. こん ばん　 て がみ　 か き ま す
   [こん][ばん] [て][がみ] を [かきます] 。

6. ひる　　 あ い ま し た
   [ひる] 田中さんに [あいました] 。

055〜060 A　よんでください。

1.　　　（　　　　　）
　　　毎　晩　八時半から

　　（　　　　　　　　　　　）
　　　十 一 時 四 十 五 分 まで勉強します。

2.　　　　　　　（　　　）
　　毎朝　何時に　起　きますか。

3.　（　　　）（　　　　　　　）
　　　毎　日　　九　時　十　五　分　から

　　（　　　　　）（　　　）
　　　五　時　半　まで　働　きます。

4.　（　　　　　）（　　）
　　　二　十　分　　休　みます。

5.　　　　　　（　　　　　）
　　すいかを　半　分　ください。　　　＊すいか：

🔘055～🔘060 B　書いてください。

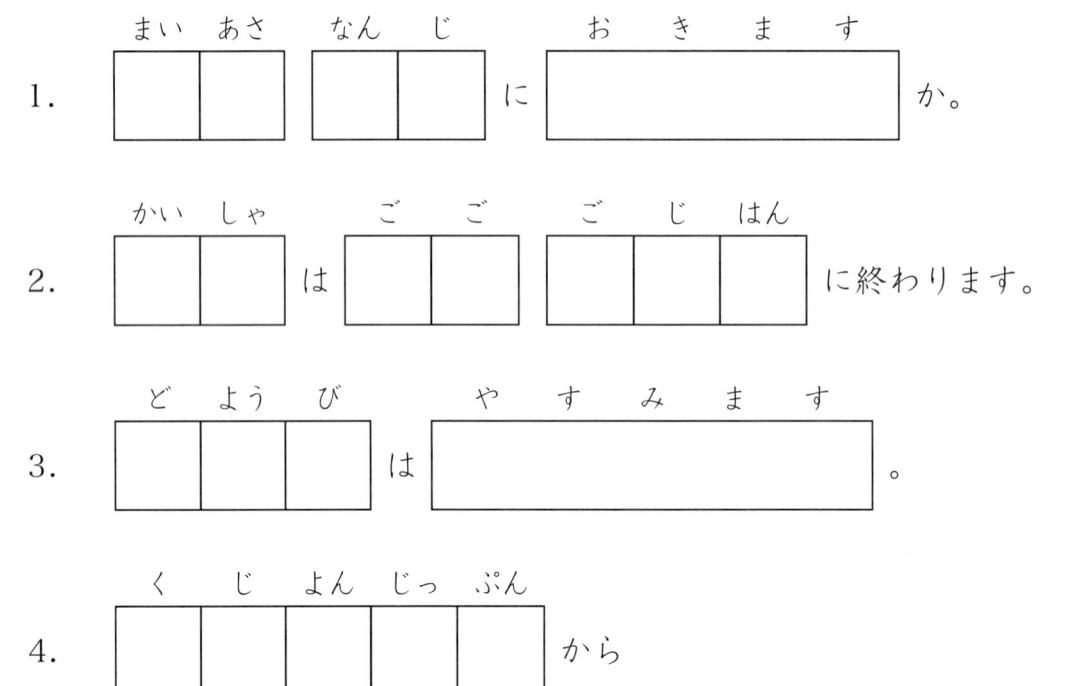

1. まい あさ／なん じ／に／お き ま す／か。

2. かい しゃ／は／ご ご／ご じ はん／に終わります。

3. ど よう び／は／や す み ま す／。

4. く じ よん じっ ぷん／から
は た ら き ま す／。

061〜066 A　よんでください。

1.　会社は　六時半に　終（　　）わります。

2.　今晩　勉強（　　　　）しますか。

3.　午後　銀（ぎん）行（　　）へ　行きます。

4.　いつ日本へ　来（　　）ましたか。

5.　友達（ともだち）と　国へ　帰（　　）ります。

6.　来月（　の　　）の　七日（　　　）に　帰国します。

7.　ガスの　火（　）が　強（　）いですよ。

061〜066 B　書いてください。

1. 学校は何時に [おわります] か。

2. [じゅう][がつ][ここの][か] に横浜へ [いきます] 。

3. [ご][がつ][みっ][か] に [くに] へ [かえります] 。

4. きのうの [ばん] 11時まで [べん][きょう] しました。

5. [いち][がつ][よう][か] に日本へ [きました] 。

067〜072 A　よんでください。

1. 　　（　　　）（　　　　　　）
　　友人 は 四月 二日 にアメリカへ帰りました。

2. 　　（　　）
　　歩 いて 学校へ 行きます。

3. 　　（　　　）（　　　　　　）
　　去年 の 七月 十四日 に 日本へ 来ました。

4. 　　（　　　）
　　十月 は 土曜日も 働きます。

5. 　　（　　　）（　　　）
　　来年 、九月 にアメリカへ 行きます。

6. 　　（　　　）（　　　）
　　先週　友達 と 横浜へ 行きました。

067～072 B 書いてください。

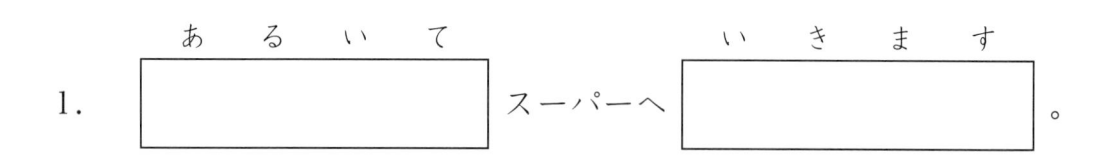

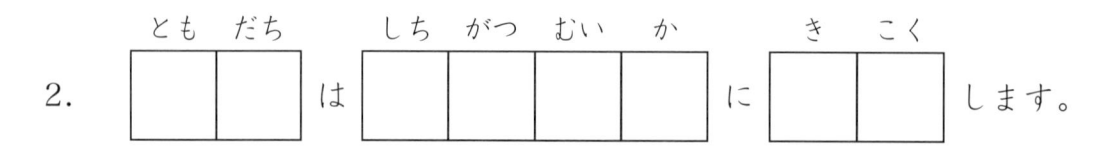

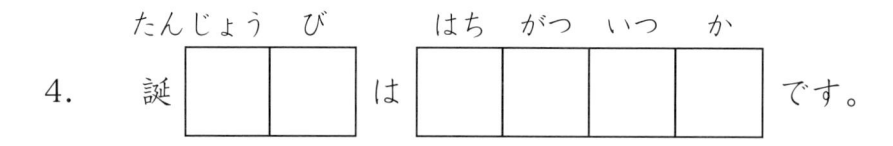

1. あるいて スーパーへ いきます。

2. ともだち は しちがつむいか に きこく します。

3. きょねん 日本へ きました。

4. 誕たんじょうび は はちがついつか です。

5. せんしゅう ジョンさんは国へ帰りました。

🔊073〜🔊078 A　よんでください。

1.　きょうヘリコプターは　飛（と）びません。

2.　（な）名前は　何ですか。

3.　あしたの朝　九時に　東京（とうきょう）駅（えき）で　会（あ）いましょう。

4.　二月一日（にがつついたち）に、飛行機（ひこうき）で大阪（おおさか）へ行きます。

5.　来週病院（びょういん）へ　行きます。

6.　十二月二十四日（じゅうにがつにじゅうよっか）は　休日（きゅうじつ）ではありません。

7.　会社名（かいしゃめい）を　書いてください。

073〜078 B 書いてください。

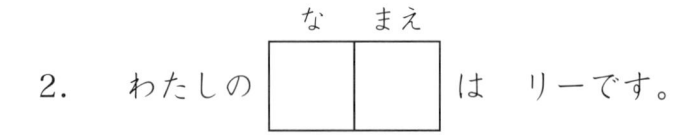

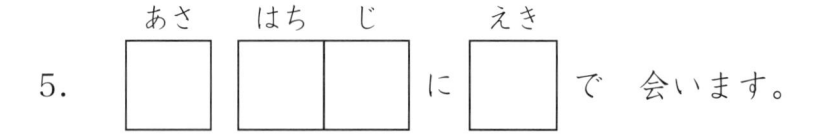

1. あした [びょう|いん] は [や　す　み] です。

2. わたしの [な｜まえ] は リーです。

3. [じゅう|いち|がつ|なの|か] に 東京(とうきょう)へ 来ました。

4. [ひ|こう|き] で 行きました。

5. [あさ] [はち|じ] に [えき] で 会います。

6. 大統領(だいとうりょう)は [し|がつ|とお|か] に [らい|にち] します。

079〜084 A　読んでください。

1. もうこの手紙を　読(　)みましたか。

2. 歩いていきますか、車(　)で行きますか。

3. 六月二十九日(　　　　)に日本電気(　　)を見学(　　)します。

4. 毎朝　ラジオを　聞(　)きます。

5. きのう　夜中(　　)にテレビを　見(　)ました。

6. 読書室(　　　)はどこですか。

7. 終電車(　　　)は何時ですか。

079 ～ 084 B 書いてください。

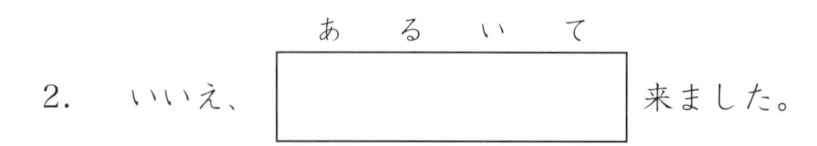

1. [でん][しゃ]で 来ましたか。[くるま]で 来ましたか。

2. いいえ、[あるいて]来ました。

3. きのうの[よる]ニュースを[ききました]。

4. リーさんは[びょうき]です。

5. いっしょにビデオを[みましょう]。

6. [てがみ]を[よみます]。

7. これは 日本[でんき]のラジオですか。

085〜090 A 読んでください。

1. わたしは 何(　)も 買(　)いませんでした。

2. 来月 工場(こうじょう)で 実習(　　)します。

3. いっしょに 昼食(　　)を 食(　)べませんか。

4. おとうい 映画(が)を 見に行きました。

5. いっしょにビールを 飲(　)みませんか。

6. だれに日本語(ご)を 習(　)いましたか。

7. 来週から 飲食(てん)店(　)で 働(　)きます。

085〜090 B　書いてください。

1. どこで　[じっ|しゅう]　しましたか。

2. きのうデパートでセーターを　[かいました]　。

3. あなたは　ワインを　[のみます]　か。

4. きのうの夜　[とも|だち]　と　[べん|きょう]　しました。

5. いっしょに　[ちゅう|しょく]　を　[たべません]　か。

6. きのう　[て|がみ]　を　[かきました]　。

7. 日曜日　[えい|が]画　を　見ました。

091〜096 A　読んでください。

1. この　牛(　)　は　先月(　)　生まれました。

2. どこでその　写真(　　)　を　写(　)しましたか。

3. わたしは　牛　乳(にゅう)　を　飲みません。

4. 馬　肉(　　)　は　食べません。

5. 今週の土曜日いっしょに　映　画(　　)　を見ませんか。

6. 真　夜　中(　　　)　に　火事(かじ)がありました。

7. きのう　馬(　)　を見ました。

＊火事：a fire
　　　　火灾　起火了　火災
　　　　화재가 났습니다
　　　ไฟไหม้
　　　hỏa hoạn

091〜096 B　書いてください。

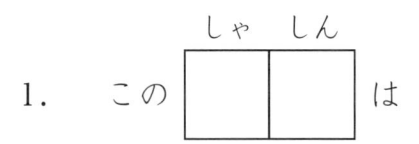

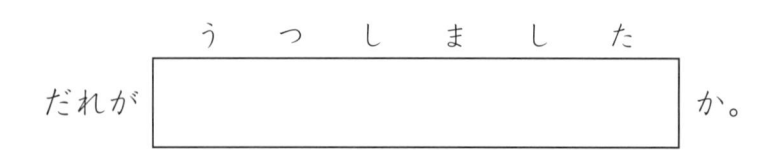

1. この [しゃ|しん] は

　　だれが [うつしました] か。

2. わたしは毎朝 [ぎゅう|にゅう]乳 を 飲みます。

　※ 2. わたしは毎朝 [ぎゅうにゅう] を 飲みます。

3. どこで [あいます] か。

4. [きのみ] の を 食べます。

5. この [うま] は よく [はたらきます]。

6. いっしょに [えいが] を [みません] か。

7. わたしは [にく] を 食べません。

097〜102 A 読んでください。

1. （　　）父　は　会社員です。

2. 　　　（　　）お母さんは　何時に帰りますか。

3. 　　　　　　　（　　　　）きのう　兄は　金魚　を買いました。

4. 　　　　　　　（　　）わたしは毎朝　お茶　を飲みます。

5. 　　（　　）　　　　（　　　）お父さんは　毎晩　お酒　を飲みますか。

6. 　　（　　）（　　）お兄さんは　魚　を　食べますか。

7. 　　　　　（　　）わたしは　母　と　デパートへ行きました。

8. 　　　　　　　　（　　　　　）わたしは山田さんに　日本酒　をもらいました。

097〜102 B　書いてください。

1. あの人は　ジョンさんのお[かあ]さんです。

2. わたしは３時に　紅[ちゃ]を　[のみます]。

3. お[にい]さんは　お[さけ]を　のみますか。

4. だれに日本語を　[ならいました]か。

5. お[とう]さんは　[さかな]を　[たべます]か。

6. 先生は　学生に日本語を　[おしえます]。

103〜108 A　読んでください。

1.　　　（　　　　）
　　　家族と いっしょに 晩ごはんを 食べます。

2.　　　（　　　）　　　　（　　　）
　　　兄弟 はいますか。姉 が一人(ひとり)います。

3.　　　　　　　　　　　（　　　）
　　　ジョンさんの 家 はどこですか。横浜(よこはま)です。

4.　　（　　）（　　　　）
　　　弟 さんは 学生 ですか。

5.　　（　　　）
　　　妹と いっしょに日本へ 来ました。

6.　　　　　　　　　　　　　（　　　　）
　　　田中さんの お 姉 さんに 時計をもらいました。

7.　　（　　　　）
　　　主人 は 歩いて病院へ 行きました。

8.　　　　　　　　（　　　　　）
　　　わたしは 四人(よにん) 姉 妹 です。

103～108 B 書いてください。

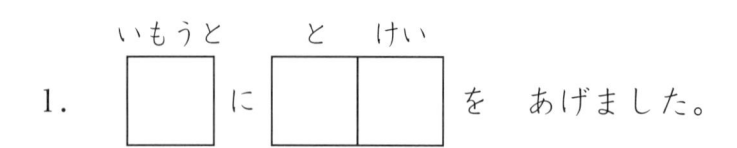

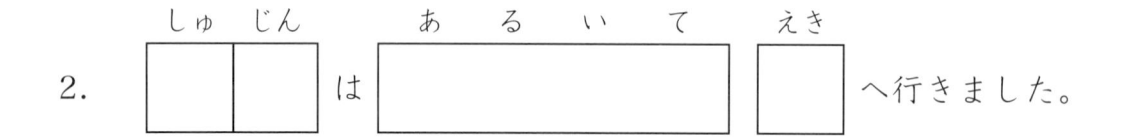

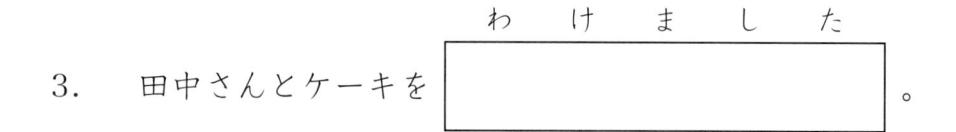

1. [いもうと] に [とけい] を あげました。

2. [しゅじん] は [あるいて] [えき] へ行きました。

3. 田中さんとケーキを [わけました] 。

4. おとといは [かぞく] といっしょに銀座へ行きました。

5. [きょうだい] はいません。

6. メアリーさんの お[ねえ]さんは [がくせい] です。

109〜114A　読んでください。

1. 先週　子ども に　手紙を書きました。
　　　　　(　)

2. 家内 と　映画を見ました。
　　(　　)

3. 兄 に 車を 借りました。
　(　)　　 (　)

4. 50円 切手 を買います。
　　　　(　　)

5. 友達に お金 を 貸 します。
　　　　(　)(　)

6. はさみで 紙を 切ってください。
　　　　　　　　(　)

7. 母に 借金 をしました。
　　　(　　)

109〜114 B 書いてください。

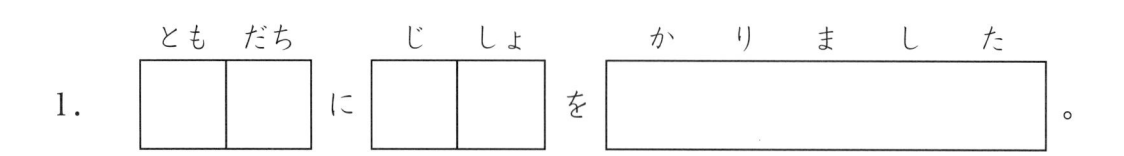

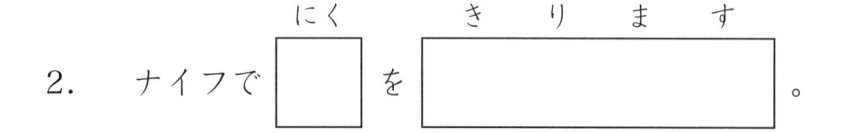

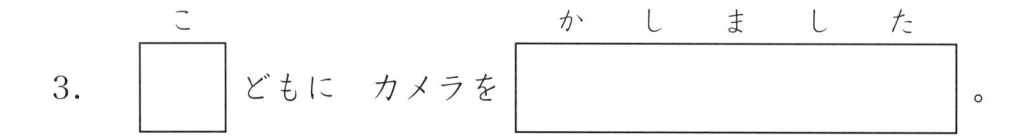

1. [とも|だち]に[じ|しょ]を[かりました]。

2. ナイフで[にく]を[きります]。

3. [こ]どもに カメラを[かしました]。

4. [あね]と[えい|が]を見ました。

5. [か|ない]にネクタイを もらいました。

115〜120 A　読んでください。

1. 父は 小学校(　　　　) の先生です。

2. 英語(　　) と 中国語を 習(　) いました。

3. 兄は 大学生(　　　) です。弟はまだ 高校生(　　　　) です。

4. あの 小(　) さい カメラはいくらですか。

5. 父は テレビを 修理(　　　) します。

6. 日本料理(　　りょう　)は 高(　) いです。

7. アメリカは 大(　) きい 国です。

115〜120 B　書いてください。

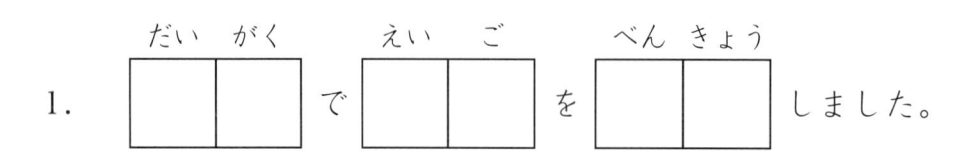

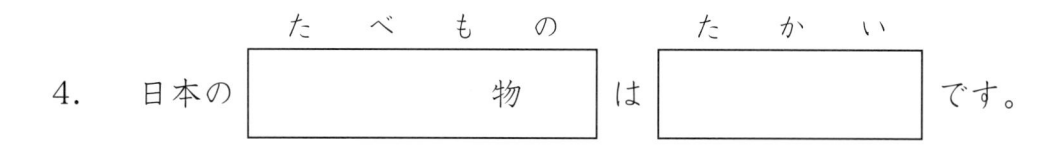

1. [大学]で[英語]を[勉強]しました。

2. [小さい]カメラを[買いました]。

3. [父]は ラジオを[修理]します。

4. 日本の[食べ]物は[高い]です。

5. このシャツは[大きい]です。

121～**126** A　読んでください。

1. 毎朝　新聞　を　読みます。
　　　（　　　　　）

2. 奈良 は 古 い 町です。
　　　　　　（　　）

3. あなたの国は 暑 い ですか。
　　　　　　　　（　　）

4. わたしの国は 今　寒 い です。
　　　　　　　（　）（　　）

5. あの 低 い 山は若草山です。
　　　　（　　）

6. この 中 古 車 は 安 い です。
　　　（　　　　）（　　）

7. きのう 新 しい 辞書を買いました。
　　　　　（　　）

8. 　暑 中 見舞いを書きます。
　（　　　　）

121〜126 B　書いてください。

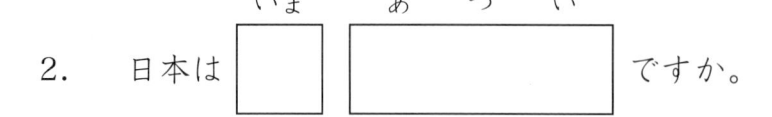

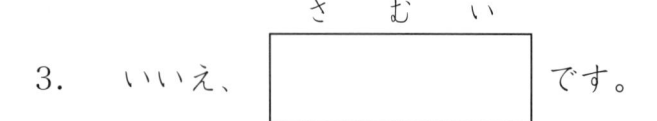

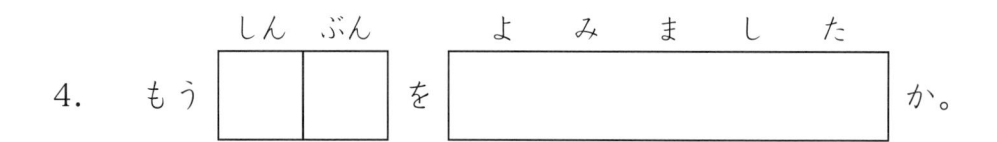

1. この [ひ|こう|き] は [あたらしい] です。

2. 日本は [いま] [あつい] ですか。

3. いいえ、[さむい] です。

4. もう [しん|ぶん] を [よみました] か。

5. 富士山（ふじさん）は エベレストより [ひくい] です。

6. このホテルは [やすい] ですが、[ふるい] です。

127 〜 132 A 読んでください。

1. あの　青い　かばんはいくらですか。
　　　　　（　）

2. 　熱い　スープを　飲みます。
　　（　）

3. この　白い　靴は　安いです。
　　　　（　）　（　）

4. きょうは天気が　悪いです。
　　　　　　（　）

5. その　赤い　シャツをください。
　　　　（　）

6. 　冷たい　水をください。
　（　）　（　）

7. あの　青年は　学生ですか。
　　　　（　　）

8. きょうは　熱が　高いですか。
　　　　　（　）

127〜132 B　書いてください。

1. ここは水が [わるい] ですから　飲みません。

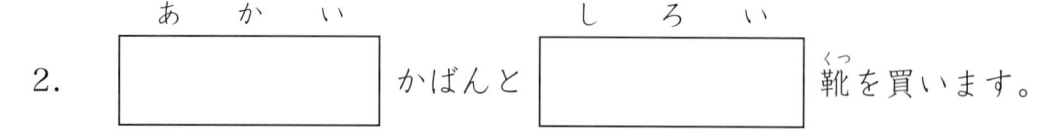

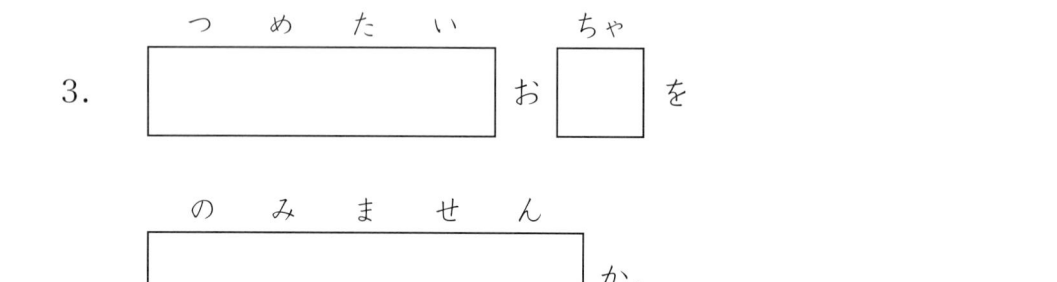

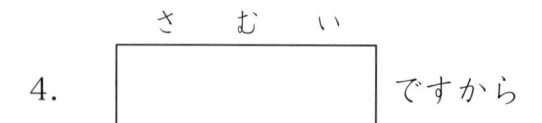

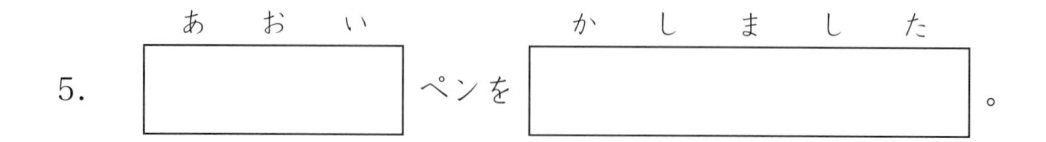

2. [あかい] かばんと [しろい] 靴を買います。

3. [つめたい] お[ちゃ]を [のみません]か。

4. [さむい] ですから

   [あつい] スープを飲みませんか。

5. [あおい] ペンを [かしました]。

133〜138 A　読んでください。

1.　桜はきれいな　花（　）です。

2.　ジョンさんは　親　切（　　）な　人です。

3.　　黒（　）いセーターを買いました。

4.　ニューヨークは　大きい　町（　）です。

5.　ピカソは　有　名（　　）な　画家　です。

6.　富士　山　は　高い（　）山（　）です。

7.　　赤（　）い（　）花　びんを　買いました。

8.　来月、母　親（　　）が日本へ来ます。

133～138 B 書いてください。

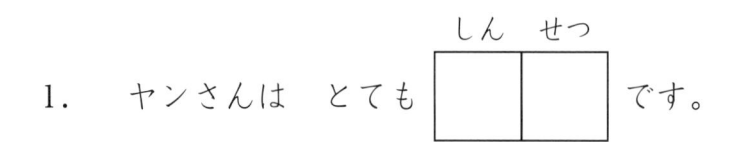

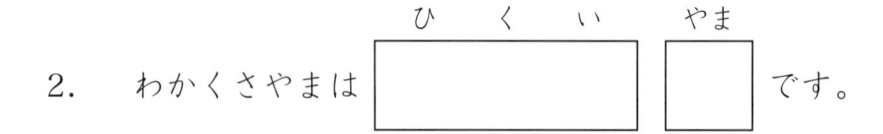

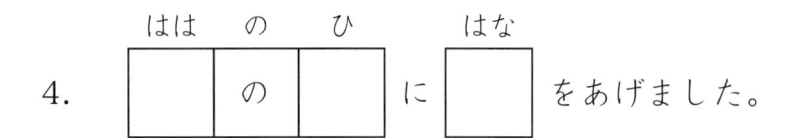

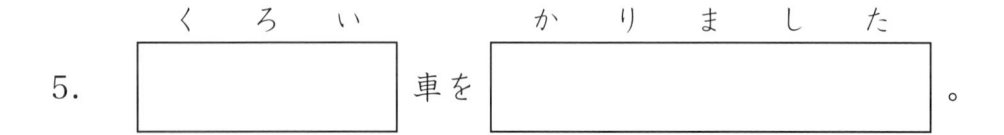

1. ヤンさんは　とても [しん][せつ] です。

2. わかくさやまは [ひくい] [やま] です。

3. あの人は [ゆう][めい] なモデルです。

4. [はは][の][ひ] に [はな] をあげました。

5. [くろい] 車を [かりました] 。

6. ポンペイは [ふるい] [まち] です。

139〜144 A 読んでください。

1. 頭(　)が痛(　)いですから、病院(　　)へ行きます。

2. 時間(　　)がありませんから、あまりテレビを見ません。

3. きょうの宿題(　　)は難(むずか)しいですか。

4. 頭痛(　　)で、会社を休(　)みました。

5. お姉(　)さんはお元気(　　)ですか。

6. この間(　)、田中さんに会いました。

7. 馬が五頭(　　)います。

8. 新宿(　　)はにぎやかな所(ところ)です。

135

139~144 B　書いてください。

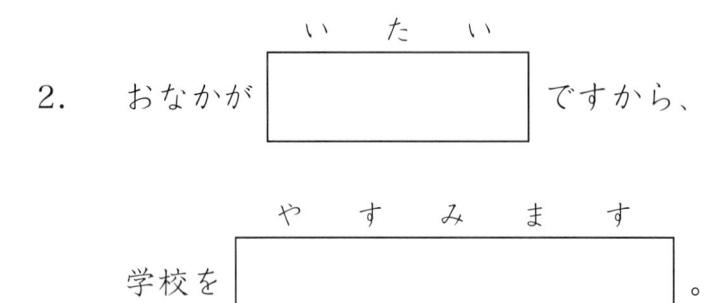

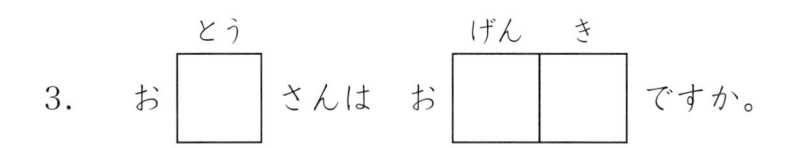

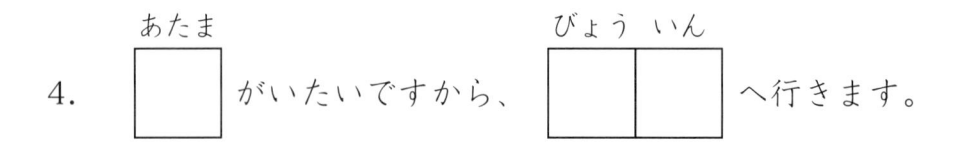

1. この [しゅくだい] は 難(むずか)しいです。

2. おなかが [いたい] ですから、

　　学校を [やすみます] 。

3. お[とう]さんは お[げんき]ですか。

4. [あたま]がいたいですから、[びょういん]へ行きます。

5. きょうは あまり [じかん] がありません。

6. この [しんぶん] は [やすい] です。

145〜150 A　読んでください。

1.　すみませんが、かぜの　薬（　　）を ください。

2.　漢字（かんじ）を　勉強しました。

3.　お兄さんは　どんな　音楽（　　　）が すきですか。

4.　あなたは　タイ料理（　　　）が すきですか。

5.　きょうの　パーティーは　楽（　　）しい です。

6.　主人は　歌（　　）が　上手（じょうず）です。

7.　頭痛薬（　　　　）は ありますか。

8.　テープの　音（　　）が 悪いです。

9.　あの人は有名な　歌手（　　　）です。

145～150 B　書いてください。

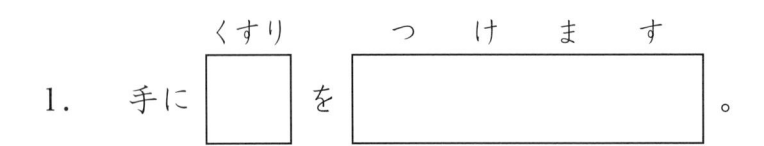

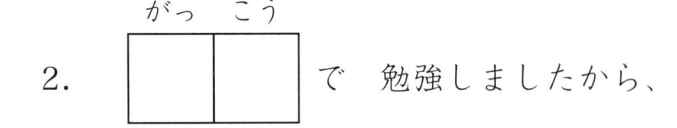

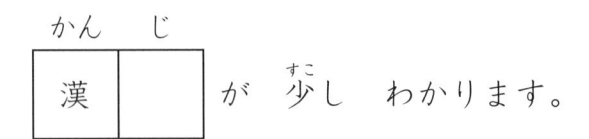

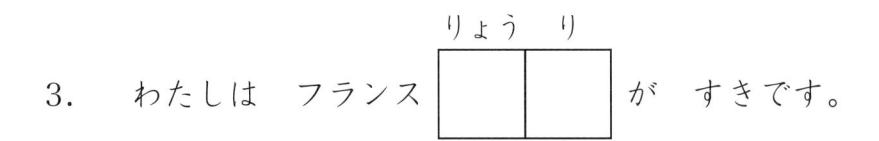

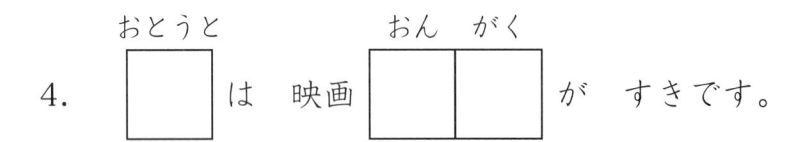

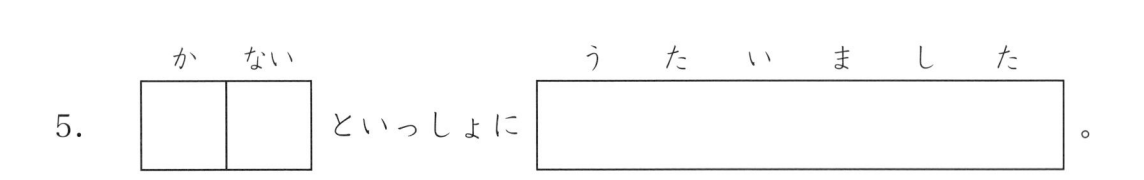

1.　手に［くすり］を［つけます］。

2.　［がっ｜こう］で　勉強しましたから、

［漢｜じ］（かんじ）が　少し（すこ）　わかります。

3.　わたしは　フランス［りょう｜り］が　すきです。

4.　［おとうと］は　映画［おん｜がく］が　すきです。

5.　［か｜ない］といっしょに［うたいました］。

6.　［たのしい］パーティーですね。

151〜156 A　読んでください。

1. 山田さんはゴルフが　上　手（　　　　）です。

2. わたしは英語が　全　然（　ぜん　）わかりません。

3. エスカレーターの　下（　　）に　電話があります。

4. 病院の　右（　）に会社があります。

5. かごの　中（　）に　鳥（　）が　います。

6. あなたは　お　酒（　）が　好（　）きですか。

7. テーブルの　上（　）に　花があります。

8. これはわたしの　好　物（　ぶつ　）です。

139

151 ~ 156 B　書いてください。

1. わたしは中国語が [まったく] わかりません。

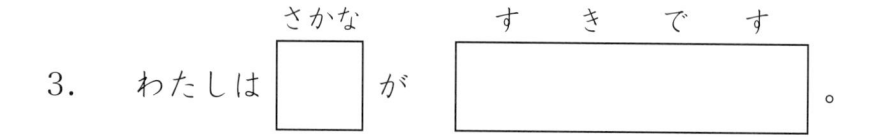

2. 新聞は [うけ][つけ] の [みぎ] にあります。

3. わたしは [さかな] が [すきです]。

4. わたしの主人は　車の [しゅう][り] が [じょう][ず] です。

5. ベッドの [した] に スリッパがあります。

6. 木の [うえ] に [とり] がいます。

157 〜 162 A 読んでください。

1. 　　（　　　　　）
　　女の子が部屋の中にいます。

2. 　　　　（　　）
　　受付の 左 にコピーがあります。

3. 　　（　　　　）
　　公園に木がたくさんあります。

4. 　　（　　）（　　　　　）
　　大学で外国語を勉強しました。

5. 　　（　　　　）
　　左右をよく見ましょう。

6. 　　　　（　　　　　）
　　あの男の人はどなたですか。

7. 　　　　（　　）
　　教室の外にだれかいますか。

8. 　　　　　（　せいよう　）　　　　（　せいよう　）
　　この靴下は 女性用 ですか。いいえ、男性用 です。

157 〜 162 B　書いてください。

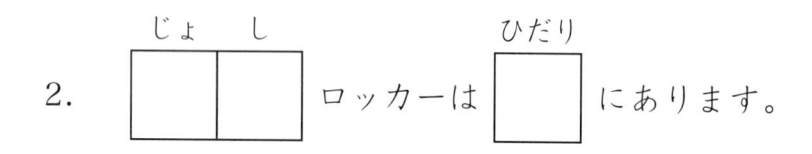

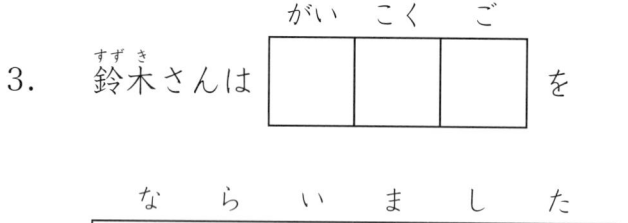

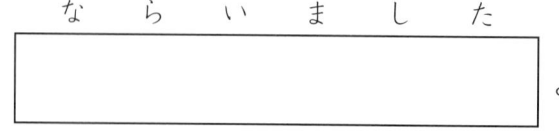

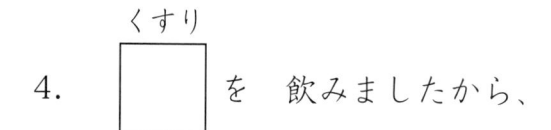

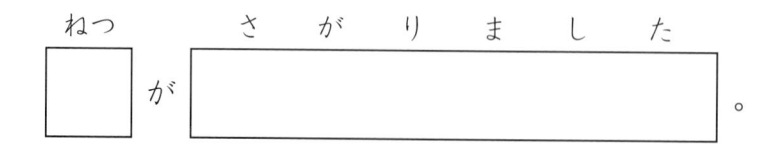

1. 先週の　[きんようび]　に　[おとこ]　の　[ひと]　といっしょに

　　[こうえん]　へ行きました。

2. [じょし]　ロッカーは　[ひだり]　にあります。

3. 鈴木(すずき)さんは　[がいこくご]　を

　　[ならいました]　。

4. [くすり]　を　飲みましたから、

　　[ねつ]　が　[さがりました]　。

163 ～ 168 A　読んでください。

1. その　箱（　）の下にノートがあります。

2. きのう　図書館（　　　）へ行きました。

3. 筆（　）で字（　）を書きます。

4. 竹（　）のはしを　使（　）いますか。

5. 韓国　大使館（かんこく　　　　）はどこにありますか。

6. 車の中で　地図（　　）を見ましょう。

7. 机（つくえ）の上に　鉛筆（えん　　）があります。

8. 男子（　　）トイレは２階（かい）です。

9. 公園に　白鳥（　　　）がいます。

143

163 ～ 168 B　書いてください。

1. 田中先生に　[ふで]ペンを　[かりました]。

2. この　[としょかん]は　とても　静(しず)かです。

3. カナダの　[たいし]が日本へ　[きました]。

4. きのう　ゴミ[ばこ]を　[かいました]。

5. ナイフとフォークを　[つかいます]。

6. 何で　[たけ]を　[きります]か。

169 〜 174 A　読んでください。

1. 　　（　　　　　　）
　　地 下 鉄 の 新宿駅で会いましょう。

2. 　　（　　）
　　船　で日本へ来ました。

3. 　　（　　）
　　銀　のナイフを買いました。

4. 　　　　　　　（　　　　　　　）
　　このホテルの 日 本 庭 園 はきれいです。

5. 　　　　　　（　　　）（　　　）
　　日本で 汽 車 や 汽 船 はあまり見ません。

6. （　）
　　庭　にだれかいますか。

7. 　　（　　　）
　　銀 行 は 学校の隣にあります。

8. 　　　　　（　　　）（　）
　　壁から 地 図 を 外 しました。

145

169〜174 B 書いてください。

1. おとといの[ちかてつ]の[えき]でヤンさんに会いました。

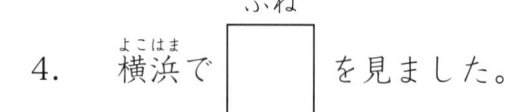

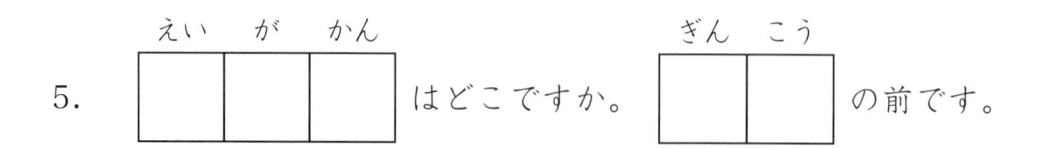

2. おととい[きしゃ]を見ました。

3. [やすみじかん]ですから、

  子どもたちは[こうてい]にいます。

4. 横浜(よこはま)で[ふね]を見ました。

5. [えいがかん]はどこですか。[ぎんこう]の前です。

6. [いま][ちず]を書きます。

175〜180 A　読んでください。

1. この　荷物（　　　）は　エアメールでいくらですか。

2. 学校の　門（の）の　前に　男の子（　　　）が　二人　います。

3. もう京都を　見物（　　　）しましたか。

4. あのビデオは　四回（　　　）見ました。

5. わたしの部屋は　六階（　　　）に　あります。

6. わたしは　一人（　　）で　漢字（　　）を勉強しました。

7. 会社に電話が　七台（　　　）あります。

8. 飲み物（　　　）は何がありますか。

147

175～180 B　書いてください。

1. 大使館の前に　[くろい]　自動車が　[ご|だい]　あります。

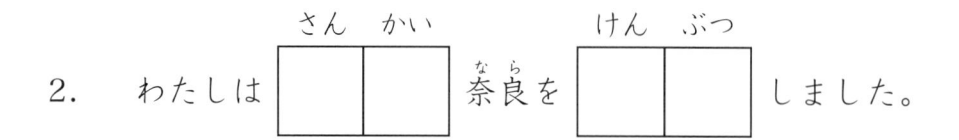

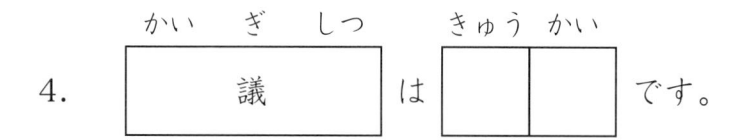

2. わたしは　[さん|かい]　奈良を　[けん|ぶつ]　しました。

3. [かん|じ]　のテストは難しいですか。

4. [かい|ぎ|しつ]議　は　[きゅう|かい]　です。

5. この　[に|もつ]　は　船で　お願いします。

6. [きっ|て]　は　[ぜん|ぶ]部　で　何枚ありますか。

181〜186 A　読んでください。

1. 大阪(おおさか)の　天気(　　　　)はどうですか。

2. 白い　雲(　　)がきれいです。

3. きょうは　雪(　　)です。きのうより　寒(　　)いです。

4. この　店(　　)の人は　親切(　　)です。

5. きのうは　雨(　　)でした。

6. わたしの国は東京(とうきょう)より　空(　　)が青いです。

7. 新宿は　飲食店(　　　　)が多いです。

8. 空(　)の箱はどうしましょうか。

181 ～ 186 B 書いてください。

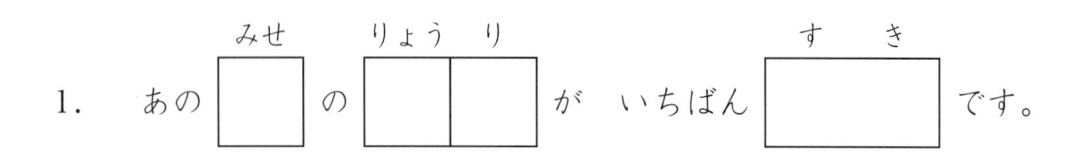

1. あの [店]（みせ） の [料理]（りょうり） が いちばん [好き]（すき） です。

2. ここは東京（とうきょう）より [空気]（くうき） がきれいです。

3. ことしは [雪]（ゆき） の日が多かったです。

4. きょうは [雲]（くも） が [全然]（ぜんぜん） ありませんね。

5. あした [雨]（あめ） ですよ。

6. きのうはいい [天気]（てんき） でしたが、[寒かった]（さむかった） です。

187〜192 A　読んでください。

1.　　温（あたた）かいスープと　冷（つめ）たいスープと、どちらが好きですか。

2.　先週の　見学（けんがく）はどうでしたか。

3.　工場が　遠（とお）かったですから、少（すこ）し疲れました。

4.　クラスで山田さんのうちがいちばん　近（ちか）いです。

5.　きのうの会議は外国人が　多（おお）かったです。

6.　きのうの　遠足（えんそく）はとても　楽（たの）しかったです。

7.　きのうはとても　暖（あたた）かかったです。

8.　東京より自動車が　少（すく）ないです。

187〜192 B　書いてください。

1. この部屋はとても [あたたかい] ですね。

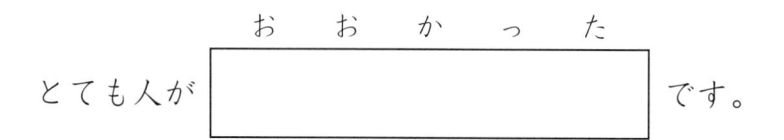

2. きのうは [やすみ] でしたから、とても人が [おおかった] です。

3. [あたたかい] お[ちゃ]をどうぞ。

4. 会社が [とおい] ですから、疲れます。

5. [ぎんこう] は [えき] の [ちかく] にあります。

6. きのうは雨でしたから、人が [すくなかった] です。

193〜**198** A　読んでください。

1. 先月　荷物を　送（　　）りました。

2. もう　店（　　）を　出ましょうか。

3. 飛行機と新幹線(しんかんせん)と、どちらが　速（　　）いですか。

4. 旅行（　　　）はどうでしたか。

5. コーヒーにミルクを　入（　　）れますか。

6. きのう国から　送金（　　　）がありました。

7. きのうは　朝　早（　　　）く　起きました。

8. 「あの喫茶店(きっさ)に　入（　　）りませんか。」「ええ、そうしましょう。」

9. きのう手紙を　出（　　）しました。

10. ジョンさんはきのう　入院（　　　）しました。

193～198 B 書いてください。

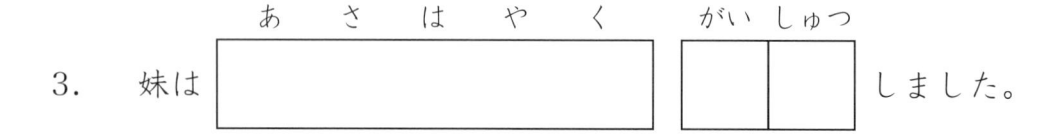

1. きのう　手紙を　[速達]（そくたつ）で　[出しました]（だしました）。

2. おととい荷物をソウルに　[送りました]（おくりました）。

3. 妹は　[朝早く]（あさはやく）　[外出]（がいしゅつ）しました。

4. あのレストランに　[入り]（はいり）ましょう。

5. [地下鉄]（ちかてつ）とバスと、どちらが　[速い]（はやい）ですか。

6. [一人旅]（ひとりたび）は　[楽しい]（たのしい）です。

199〜204 A　読んでください。

1. すみません、もう一度(いちど) 言(　)ってください。

2. わたしは 金のブレスレット(　) が 欲(　)しいです。

3. 頭にリボンを 結(　)びましょう。

4. すみません、山田さんを 呼(　)んでください。

5. 今 山田さんは 電話(　) で キムさんと 話(　)しています。

6. 先週 メアリーさんと 遊園地(　　　) へ 行きました。

7. 来週 渋谷(しぶや)へ 遊(　)び に 行きませんか。

8. かぜですから、きょうは 食欲(　　) がありません。

9. 田中さんは 結(こん)婚 しています。

199〜204 B　書いてください。

1. [あね] は [きょねん] [けっこん 婚] しました。

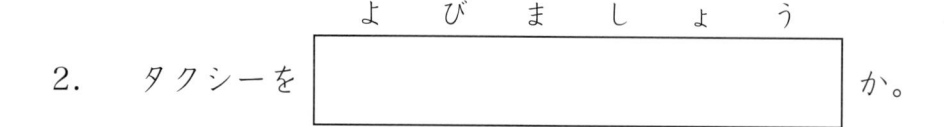

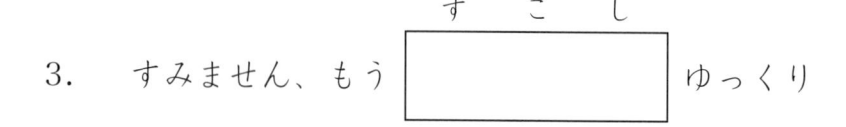

2. タクシーを [よびましょう] か。

3. すみません、もう [すこし] ゆっくり [いって] ください。

4. 子どもといっしょに [こうえん] で [あそび] ました。

5. 会議室で [はなしましょう] 。

6. わたしは [あたらしい] かばんが、[ほしい] です。

205〜210 A　読んでください。

1. すみませんが、ミルクを　取（　）ってください。

2. 郵便番号（ゆうびん）を教えてください。

3. 今度（こんど）の電車は　急行（　　）ですか。

4. リーさんに　伝言（　　）を　伝（　）えましたか。

5. 時間がありませんから　急（　）いでください。

6. 中国で　一番　有名な歌手（　　）はだれですか。

7. すみませんが、ちょっと　手伝（　　）ってください。

8. こんにちは、一度（いちど）会いましたね。覚（　）えていますか。

9. 目覚まし時計（　　　　　）をもらいました。

205～210 B　書いてください。

1. [でんわ] [ばんごう] を [おしえて] ください。

2. パクさんから [でんごん] があります。

3. すみませんが、ソースを [とって] ください。

4. [いそぎましょう]。
　あと5分しかありません。

5. この [かんじ] はもう [おぼえました] か。

6. 何か [てつだい] ましょうか。

7. [救きゅうしゃ] を呼んでください。

211〜**216** A　読んでください。

1. たばこはどこで　売（　）っていますか。

2. この漢字の　書（　　　）き　方　がわかりません。

3. ドアの外に男の人が　立（　）っています。

4. この　食（　　　）べ　物　は　塩　分（　　）が多いですね。

5. キヨスクは　駅の　売　店（　　　）です。

6. あ、テレビが　消（　）えました。

7. すみませんが、塩（　）を　取（　）ってください。

8. 新宿で山手(やまのて)　線　に　乗(の)ってください。

211〜216 B 書いてください。

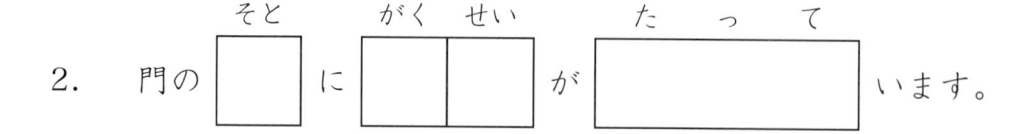

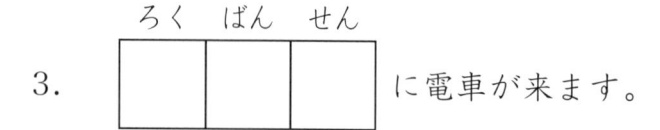

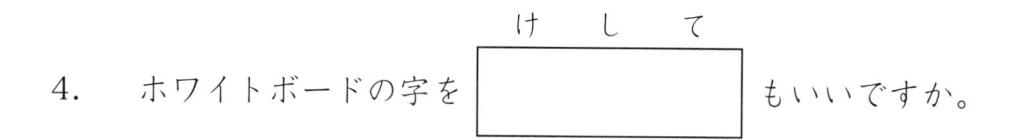

1. [きって]は駅の[ばいてん]で[うって]いますか。

2. 門の[そと]に[がくせい]が[たって]います。

3. [ろくばんせん]に電車が来ます。

4. ホワイトボードの字を[けして]もいいですか。

5. [しお]を取りましょうか。

6. あなたはこのカメラの[つかいかた]がわかりますか。

217〜222 A 読んでください。

1. あなたはパソコンを　持（　）っていますか。

2. 寒（　）いですから、ドアを　閉（　）めてください。

3. かばんの　中身（　　）は何ですか。

4. 窓を　開（　）けましょうか。

5. もう少し　待（　）ちましょう。

6. わたしは大阪の　出身（　　）です。

7. 母は今料理を　作（　）っています。

8. すみませんが、もう　閉店（　　）です。

9. 来週の日曜日、うちにヤンさんを　招（しょう）待　します。

217～222 B 書いてください。

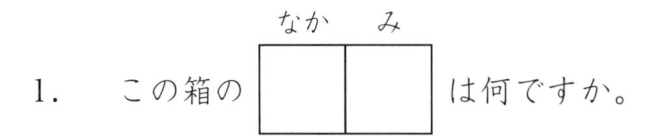

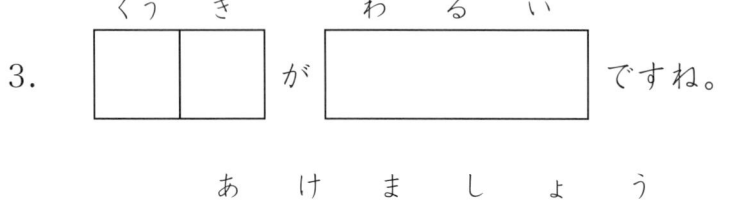

1. この箱の　[なかみ]　は何ですか。

2. ちょっと　[まって]　ください。

3. [くうき] が [わるい] ですね。

    窓を [あけましょう] か。

4. かばんを [もちましょう] か。

5. [あかるい] ですから、

    カーテンを [しめましょう] 。

6. 母にキムチの [つくりかた] を

    [ならいます] 。

223〜228 A　読んでください。

1.　コンサートの　会場（　　　）はどこですか。

2.　きょうは　用事（よう　　）がありますから、早く帰りたいです。

3.　委員会（　いん　　）は金曜日の5時からです。

4.　鈴木(すずき)さんを知っていますか。いいえ、知（　）りません。

5.　ビール　工場（　）を　見学（　）しました。

6.　すみませんが、この　仕事　を　手伝（　　）ってください。

7.　パーティーの　場所（　しょ）を教えてください。

8.　あの人の　名前（　　）を知っていますか。

9.　10時から会議(かいぎ)を　開（　）きます。

163

223〜**228** B　書いてください。

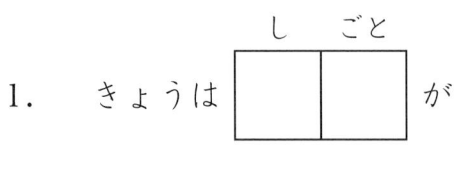

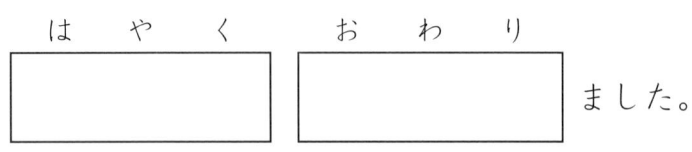

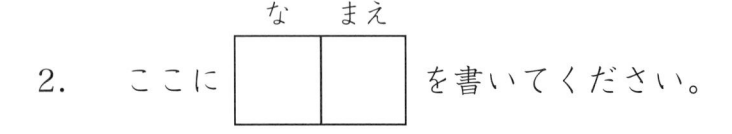

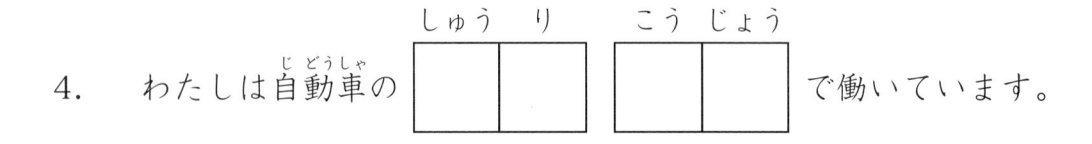

1. きょうは　|し|ごと|　が

　　|はやく|　|おわり|　ました。

2. ここに　|なまえ|　を書いてください。

3. クラス　|い|いん 員|　はだれですか。

4. わたしは自動車の　|しゅう|り|　|こう|じょう|　で働いています。

5. いっしょに　|しょく|じ|　しましょう。

6. 山田さんの　|おにいさん|　を

　　|しって|　います。

229〜**234** A　読んでください。

1. ここに　住　所（　　　　）を書いてください。

2. 京都(きょうと)はどんな　所（　　）ですか。

3. 　都　会（　　　）は人も車も多いです。

4. その荷物を「京都　府（　　）京都市右京区(きょうとしうきょうく)…」に　送（　　）ってください。

5. 　戸（　　）を　閉めましょうか。

6. わたしの父は　会　社　員（　　　　　）です。

7. 兄は中国に　住（　　）んでいます。

8. 奈良(なら)も　古（　）い　都（　　）です。

165

229～234 B 書いてください。

1. 鈴木(すずき)さんは わたしのいえの [きんじょ] に [すんで] います。

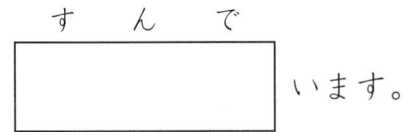

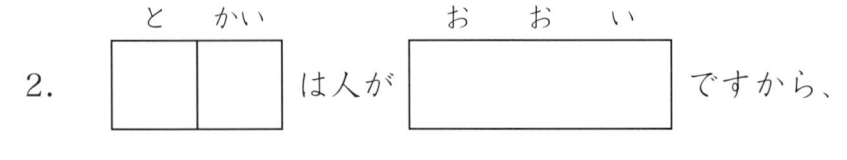

2. [とかい] は人が [おおい] ですから、好きではありません。

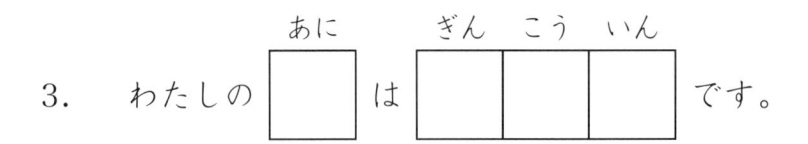

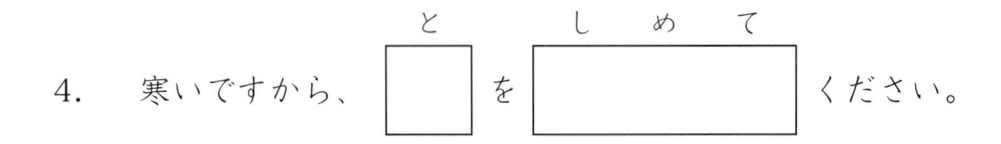

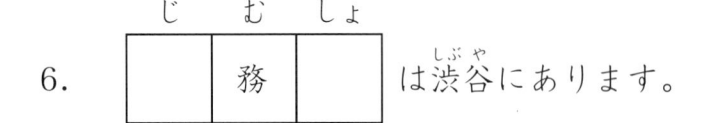

3. わたしの [あに] は [ぎんこういん] です。

4. 寒いですから、[と] を [しめて] ください。

5. 右京区(うきょうく)は [京きょうとふ] にあります。

6. [じむしょ(事務所)] は渋谷(しぶや)にあります。

235～240 A　読んでください。

1. 妹は群馬県山田郡（　　　）に住んでいます。

2. 田中さんの会社は町田市（　　　）にあります。

3. わたしの父は九州（　　　　）の出身です。

4. 新宿区（　　　　）の図書館は家の近くにあります。

5. この市場（　　　）は早朝（　　　）から開いています。

6. 山田さんのお姉さんは県立（　　　　）の病院で働いています。

7. この村（　　）は静かです。

8. コンサート会場は市民会館（　みん　　　）です。

9. わたしのおじは村長（　　　　）です。

235 ～ 240 B　書いてください。

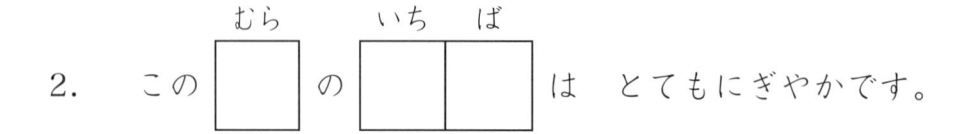

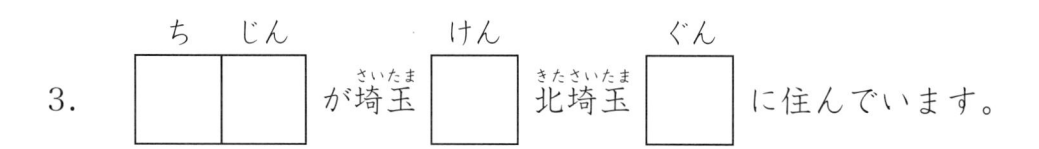

1.　ジョンさんはテキサス[しゅう]の[しゅっ|しん]です。

2.　この[むら]の[いち|ば]は　とてもにぎやかです。

3.　[ち|じん]が埼玉[けん]　北埼玉[ぐん]に住んでいます。

4.　東京(とうきょう)[と]に[く]が23あります。

5.　山田さんは[し|やく|しょ]（役）で働いています。

6.　本を[と　じ　て]ください。

241〜246 A　読んでください。

1. ジョンさんは　目（　）が大きくて　鼻（　）が高いです。

2. 水　力（　）で電気を作っています。

3. 「耳（　）が　赤いですね。」「きょうはとても寒いですから。」

4. 「出　口（　）はどこですか。」「あちらです。」

5. 山田　歯　科（　か）の電話番号を教えてください。

6. この近くに　耳　鼻　科（　　か）はありませんか。

7. すみません、歯（　）が痛いです。薬をください。

8. 「はい、口（　）を大きく開けてください。」

9. あの人は　力（　）が強いです。

241～246 B 書いてください。

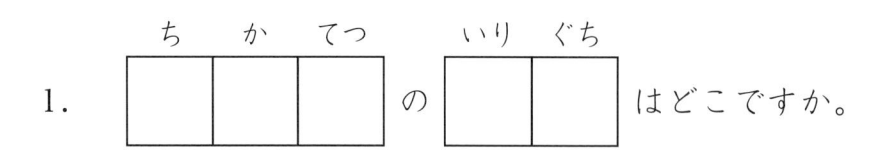

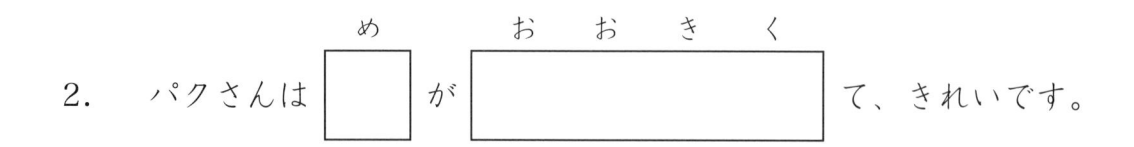

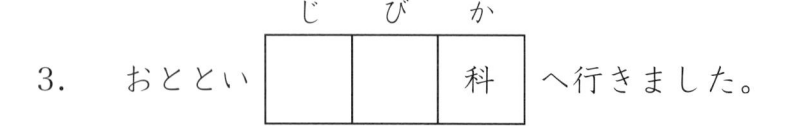

1. | ち | か | てつ |の| いり | ぐち |はどこですか。

2. パクさんは | め |が| お | お | き | く |て、きれいです。

3. おとといじ | び | か |科へ行きました。

4. | は |が| い | た | い |です。

5. このガスレンジは| か | りょく |が| つ | よ | い |です。

6. 会議(かいぎ)が終わってから| しょく | じ |しましょう。

7. 日本の| じん | こう |は 1億(おく)3千万人ぐらいです。

247～252 A　読んでください。

1. トムさんは　足(　)が　長(　)くて　ハンサムな人ですよ。

2. この部屋(へや)は　明(　)るくて、きれいですね。

3. メアリーさんは　髪(かみ)が　短(　)い　人です。

4. たばこは　体(　)に　悪いです。

5. ご飯(はん)を食べてから、顔(　)を　洗(あら)います。

6. もう一度(ど)　説(せつ)明　してください。

7. わたしの父は会社の　社(　)長　です。

8. 靴下(くつした)　一　足(　)　足(　)りません。

247〜252 B 書いてください。

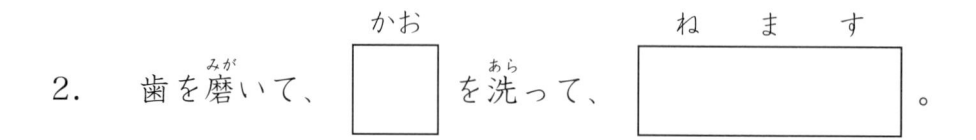

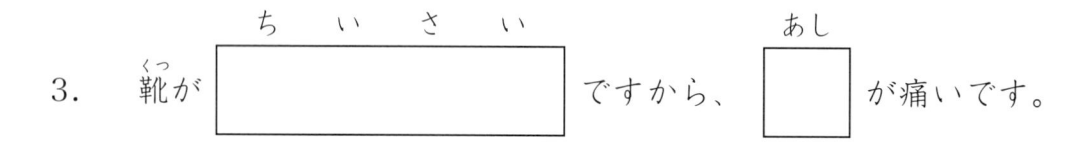

1. この [教室] は [明るく] て、きれいです。

2. 歯を磨いて、[顔] を洗って、[寝ます]。

3. 靴が [小さい] ですから、[足] が痛いです。

4. トムさんは [体] が大きくて、[力] が強いです。

5. 鈴木さんは あの髪が [長い] 人です。

6. このスカートはちょっと [短い] です。

253〜258 A　読んでください。

1. このマンションは　広(　　)くて、きれいです。

2. 体重(　　　)は何キロですか。

3. わたしは　軽自動車(　じどう　)(　)に　乗(　)っています。

4. この荷物は　軽(　)いです。

5. 入浴(　　　)時間は6時から12時までです。

6. この荷物はとても　重(　)いですから、気をつけてください。

7. シャワーを　浴(　)びてから、寝ます。

8. このバスの　乗車口(　　　　)は前のドアです。

9. この部屋は　暗(　)くて、狭いです。

173

253〜258 B　書いてください。

1. 新宿駅で地下鉄丸ノ内[せん]線に[のります]乗ります。

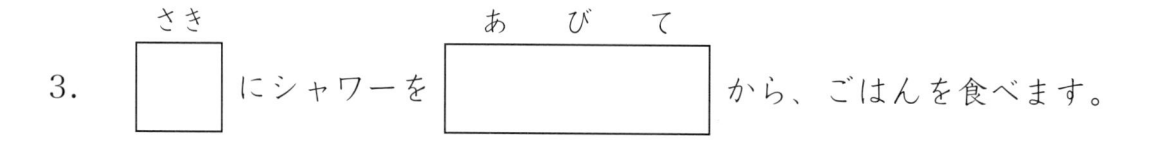

2. ここに[たいじゅう]体重と[しんちょう]身長を書いてください。

3. [さき]先にシャワーを[あびて]浴びてから、ごはんを食べます。

4. あの[こうえん]公園はとても[ひろい]広いです。

5. このスーツケースは[かるい]軽いです。

6. この会議室は寒くて、[くらい]暗いです。

259〜264 A 読んでください。

1. （　　　）残念ですが、国へ帰らなければなりません。

2. 図書館に本を（　）返さなければなりません。

3. 毎週電話しますから、（　　　）心配しないでください。

4. ここに自転車を（　）止めないでください。　＊自転車：

5. プリントを（　）配りますから、よく読んでください。

6. メアリーさんは（　）心がきれいな人です。

7. まだ仕事が（　）残っています。

8. 手紙の（　　）返事が来ましたか。

9. 今週の木曜日までに宿題を（　）出してください。

10. わたしは元気ですから、（　　　）安心してください。

259～264 B 書いてください。

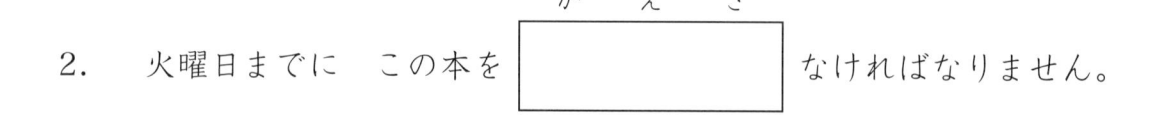

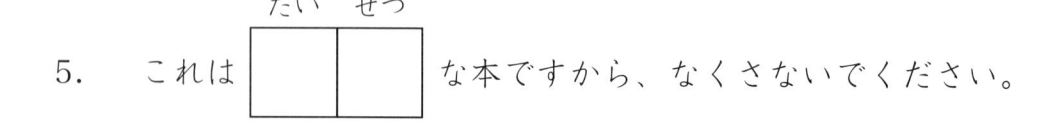

1. きゅうこう はこの駅に とまり ません。

2. 火曜日までに この本を かえさ なければなりません。

3. ごはんを のこし てもいいですか。

4. 時々手紙を書きますから、あまり しんぱい しないでください。

5. これは たいせつ な本ですから、なくさないでください。

6. ざんねん ですが、きょうは早く帰らなければなりません。

7. あしたまでに しゅくだい を ださなければ なりません。

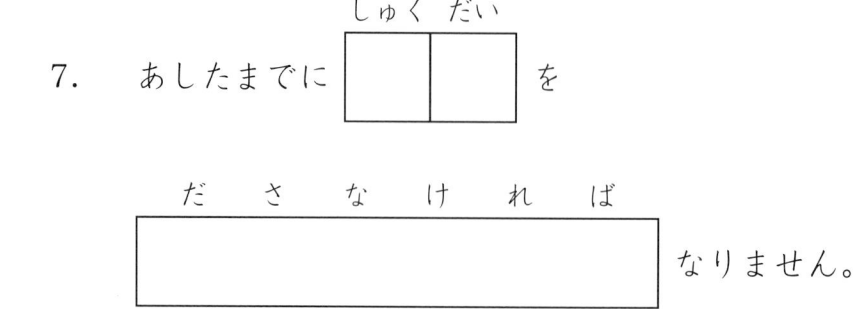

265〜**270** A　読んでください。

1. ジョンさんは　タクシーの　運　転　手（　　　　　）です。

2. チョーさんの趣味(しゅみ)は　絵（　）をかくことです。

3. わたしは今年から日本語の勉強を　始（　　）めました。

4. わたしは毎日　学校へ行く前に、漢字を　練　習（　　　）します。

5. その料理をテーブルに　運（　　）んでください。

6. わたしは　自　転（じ　　）車　で　転（　　）びました。

7. テストは10時から　開　始（　　　）します。

8. わたしの趣味(しゅみ)は　泳（　　）ぐことです。

9. トムさんも　水　泳（　　　）が好きです。

265～270 B　書いてください。

1. わたしの趣味は [およぐ] ことです。

2. [うてん] の場合は、[うんどうかい] を [ちゅうし] します。

3. わたしは日本の歌を [うたう] ことができます。

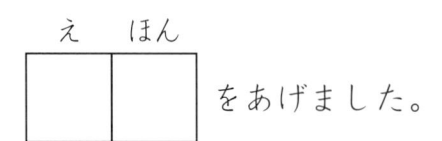

4. わたしは先月からマラソンを [はじめ] ました。

5. お姉さんの子どもの [誕じょうび] に [えほん] をあげました。

6. [しゅじん] はゴルフを [れんしゅう] しています。

7. わたしはスケートが下手ですから、よく [ころび] ます。

271～276 A　読んでください。

1.　「　初　めまして、わたしは田中です。」
　　　　（　　　）

2.　「　失　礼　します。」「どうぞ。」
　　　（　　　　）

3.　「これは古い　刀　ですか。」「200年前の刀です。」
　　　　　　　　（　　）

4.　　最　初　は　全然　泳ぐことができませんでした。
　（さい　　）

5.　わたしは中国の古い　弓　矢　を見たことがあります。
　　　　　　　　　　　（　　　　）

6.　山本さんに　お　礼　の電話をしました。
　　　　　　　（　　　）

7.　父はこの　日　本　刀　をとても　大　切　にしています。
　　　　　（　　　　　）　　　（　　　　）

8.　あの　矢　印　の方へ行ってください。
　　　（　じるし　）

9.　新宿は人が多いですね。友達を　見　失　いました。
　　　　　　　　　　　　　　　（　　　　）

271〜276 B 書いてください。

1. そろそろ [しつれい] します。ありがとうございました。

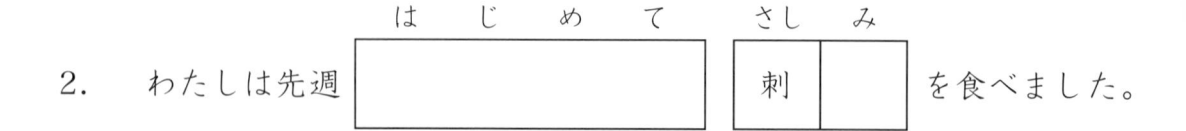

2. わたしは先週[はじめて] 刺[さしみ]を食べました。

3. あなたは[がいこく]へ行ったことがありますか。

4. テストを[はじめて]ください。

5. わたしはきのう 上野(うえの)で[ふるい] 刀[かたな]や 弓[ゆみ]矢[や]を見ました。

6. 土曜日どこかへ[でかけ]ましたか。

7. あなたは新幹線(しんかんせん)に[のった]ことがありますか。

＊さしみ：slices of raw fish / 生鱼片　生魚片 / 생선회 / ซาชิมิ / sashimi

こたえ

001～012

A いち に さん よん・し ご ろく なな・しち はち きゅう・く じゅう ひゃく せん じっ にじゅうよん さんじゅうはっ よんじゅういっ ななじゅうろく きゅうじっ さんびゃく よんひゃく ろっぴゃく はっぴゃく さんぜん はっせん

B 一 二 三 四 五 六 七 八 九 十 百 千 十 二十五 三十一 四十八 七十九

013～018

A ちゅうごくじん こくじん たなか にほんじん ひと

B 中国人 田 日本人 人 田中

019～024

A がっこう なん もん せんせい がくせい

B 何 一門 学生 中学校 先生

025～030

A かみ とけい せんせい じしょ てがみ

B 何 時計 手紙 辞書 紙

031～036

A ほん せんろっぴゃくえん いと じしょ いちまんえん きゅうせんごひゃくえん なん かいしゃ ごまんさんぜんえん がっこう う

B 何 会社 糸 二万円 受けます 九千七百円

037～042

A かーび すいーび きょうしつ ろっ うけつけ げつーび きょーしょ かいーしつ に みず

B 水 教室 八 受付 月一日 会一室 四 火一日 教一書 千二百円

043～048

A げつようび きんようび もくようび あさ しちじ どようび がっこう にちようび ひる なんようび

B 金曜日 学校 昼 十二時 土曜日 日曜日 先生 朝 六時 木

049～054

A こんばん ごぜん こんや つき よる ごご いま こんげつ くに ごぜんちゅう

B 午前 今 何時 夜 午後 今晩 手紙 書きます 昼 会いました

055～060

A まいばん じゅういちじよんじゅうごふん お まいにち くじじゅうごふん

　　　　　　　ごじはん　はたら　にじっぷん　やす　はんぶん
　　　　B　毎朝　何時　起きます　会社　午後　五時半　土曜日　休みます　九時四十分
　　　　　　働きます

061〜066
　　　　A　お　べんきょう　ーこう　い　き　かえ　らいげつ　なのか　きこく　ひ　つよ
　　　　B　終わります　十月九日　行きます　五月三日　国　帰ります　晩　勉強
　　　　　　一月八日　来ました

067〜072
　　　　A　ゆうじん　しがつふつか　ある　きょねん　しちがつじゅうよっか　じゅうがつ
　　　　　　らいねん　くがつ　せんしゅう　ともだち
　　　　B　歩いて　行きます　友達　七月六日　帰国　去年　来ました　生日　八月五日　先週

073〜078
　　　　A　と　なまえ　えき　あ　にがつついたち　ひこうき　びょういん
　　　　　　じゅうにがつにじゅうよっか　きゅうじつ　かいしゃめい
　　　　B　病院　休み　名前　十一月七日　飛行機　朝　八時　駅　四月十日　来日

079〜084
　　　　A　よ　くるま　ろくがつにじゅうくにち　でんき　けんがく　き　よなか　み
　　　　　　どくしょしつ　しゅうでんしゃ
　　　　B　電車　車　歩いて　夜　聞きました　病気　見ましょう　手紙　読みます　電気

085〜090
　　　　A　なに　か　じっしゅう　ちゅうしょく　た　えいー　の　なら　いんしょくー
　　　　　　はたら
　　　　B　実習　買いました　飲みます　友達　勉強　昼食　食べません　手紙
　　　　　　書きました　映ー

091〜096
　　　　A　うし　う　しゃしん　うつ　ぎゅうー　ばにく　えいが　まよなか　うま
　　　　B　写真　写しました　牛ー　会います　木ー実　馬　働きます　映画　見ません　肉

097〜102
　　　　A　ちち　かあ　きんぎょ　ちゃ　とう　さけ　にい　さかな　はは　にほんしゅ
　　　　B　母　ー茶　飲みます　兄　酒　習いました　父　魚　食べます　教えます

103〜108
　　　　A　かぞく　きょうだい　あね　いえ　おとうと　がくせい　いもうと
　　　　　　ねえ　しゅじん　しまい
　　　　B　妹　時計　主人　歩いて　駅　分けました　家族　兄弟　姉　学生

109〜114
　　　　A　こ　かない　あに　か　きって　かね　か　き　しゃっきん

182

B 友達 辞書 借りました 肉 切ります 子 貸しました 姉 映画 家内

115〜120

A しょうがっこう えいご なら だいがくせい こうこうせい ちい しゅうり にほん−り たか おお

B 大学 英語 勉強 小さい 買いました 父 修理 食べ− 高い 大きい

121〜126

A しんぶん ふる あつ いま さむ ひく ちゅうこしゃ やす あたら しょちゅう

B 飛行機 新しい 今 暑い 寒い 新聞 読みました 低い 安い 古い

127〜132

A あお あつ しろ やす わる あか つめ みず せいねん ねつ

B 悪い 赤い 白い 冷たい 茶 飲みません 寒い 熱い 青い 貸しました

133〜138

A はな しんせつ くろ まち ゆうめい さん やま あか か ははおや

B 親切 低い 山 有名 母−日 花 黒い 借りました 古い 町

139〜144

A あたま いた びょういん じかん しゅくだい ずつう やす ねえ げんき あいだ ごとう しんじゅく

B 宿題 痛い 休みます 父 元気 頭 病院 時間 新聞 安い

145〜150

A くすり じ おんがく りょうり たの うた ずつうやく おと かしゅ

B 薬 付けます 学校 −字 料理 弟 音楽 家内 歌いました 楽しい

151〜156

A じょうず ぜん− した みぎ なか とり さけ す うえ こう−

B 全く 受付 右 魚 好きです 修理 上手 下 上 鳥

157〜162

A おんなのこ ひだり こうえん だいがく がいこくご さゆう おとこのひと そと じょ− だん−

B 金曜日 男−人 公園 女子 左 外国語 習いました 薬 熱 下がりました

163〜168

A はこ としょかん ふで じ たけ つか たいしかん ちず −ぴつ だんし はくちょう

B 筆 借りました 図書館 大使 来ました 箱 買いました 使います 竹 切ります

169 〜 174		
	A	ちかてつ ふね ぎん にほんていえん きしゃ きせん にわ ぎんこう ちず はず
	B	地下鉄 駅 汽車 休み時間 校庭 船 映画館 銀行 今 地図

175 〜 180		
	A	にもつ もん－まえ ふたり けんぶつ よんかい ろっかい ひとり かんじ ななだい のみもの
	B	黒い 五台 三回 見物 漢字 会－室 九階 荷物 切手 全－

181 〜 186		
	A	てんき くも ゆき さむ みせ しんせつ あめ そら いんしょくてん から
	B	店 料理 好き 空気 雪 雲 全－ 雨 天気 寒かった

187 〜 192		
	A	あたた つめ けんがく とお すこ ちか おお えん－ たの あたた すく
	B	暖かい 休み 多かった 温かい 茶 遠い 銀行 駅 近く 少なかった

193 〜 198		
	A	おく で はや りょこう い そうきん あさはや はい だ にゅういん
	B	速達 出しました 送りました 朝早く 外出 入り 地下鉄 速い 一人旅 楽しい

199 〜 204		
	A	い ほ むす よ でんわ はな ゆうえんち あそ しょくよく けっー
	B	姉 去年 結－ 呼びましょう 少し 言って 公園 遊び 話しましょう 新しい 欲しい

205 〜 210		
	A	と ばんごう きゅうこう でんごん つた いそ いちばん てつだ おぼ めざましどけい
	B	電話 番号 教えて 伝言 取って 急ぎましょう 漢字 覚えました 手伝い －急車

211 〜 216		
	A	う かきかた た たべもの えんぶん ばいてん き しお と せん
	B	切手 売店 売って 外 学生 立って 六番線 消して 塩 使い方

217 〜 222		
	A	も さむ し なかみ あ ま しゅっしん つく へいてん －たい
	B	中身 待って 空気 悪い 開けましょう 持ちましょう 明るい

閉めましょう　作り方　習います

223〜228
A　かいじょう　ーじ　いーかい　し　こうじょう　けんがく　しごと　ばーなまえ　ひら
B　仕事　早く　終わり　名前　委ー　修理　工場　食事　お兄さん　知って

229〜234
A　じゅうしょ　ところ　とかい　ふ　おく　と　かいしゃいん　す　ふる　みやこ
B　近所　住んで　都会　多い　兄　銀行員　戸　閉めて　ー都府　事ー所

235〜240
A　ぐん　し　きゅうしゅう　しんじゅくく　いちば　そうちょう　けんりつ　むら　しーかいかん　そんちょう
B　州　出身　村　市場　知人　県　郡　都　区　市ー所　閉じて

241〜246
A　め　はな　すいりょく　みみ　でぐち　しー　じびー　は　くち　ちから
B　地下鉄　入口　目　大きく　耳鼻ー　歯　痛い　火力　強い　食事　人口

247〜252
A　あし　なが　あか　みじか　からだ　かお　ーめい　しゃちょう　いっそく　た
B　教室　明るく　顔　寝ます　小さい　足　体　力　長い　短い

253〜258
A　ひろ　たいじゅう　けいーしゃ　の　かる　にゅうよく　おも　あ　じょうしゃぐち　くら
B　線　乗ります　体重　身長　先　浴びて　公園　広い　軽い　暗い

259〜264
A　ざんねん　かえ　しんぱい　と　くば　こころ　のこ　へんじ　だ　あんしん
B　急行　止まり　返さ　残し　心配　大切　残念　宿題　出さなければ

265〜270
A　うんてんしゅ　え　はじ　れんしゅう　はこ　ーてんしゃ　ころ　かいし　およ　すいえい
B　泳ぐ　雨天　運動会　中止　歌う　始め　ー生日　絵本　主人　練習　転び

271〜276
A　はじ　しつれい　かたな　ーしょ　ゆみや　れい　にほんとう　たいせつ　やー　みうしな
B　失礼　初めて　ー身　外国　始めて　古い　刀　弓矢　出かけ　乗った

さくいん

	（漢字	NO.	ページ）
あ			
あいだ	間	142	47
あーいます	会	34	11
あお	青	130	43
あおーい	青	130	43
あか	赤	131	43
あかーい	赤	131	43
あーがります	上	154	51
あかーるい	明	252	83
あーきます	開	218	72
アク	悪	129	42
（あーけます）	空	184	61
あーけます	開	218	72
あーげます	上	154	51
あさ	朝	47	15
あし	足	248	82
あそーびます	遊	199	66
あたたーかい	温	192	63
あたたーかい	暖	191	63
あたま	頭	143	47
あたらーしい	新	123	40
あつーい	暑	125	41
あつーい	熱	127	42
あと	後	54	17
あに	兄	102	33
あね	姉	103	34
あーびます	浴	258	85
（あめ）	天	185	61
あめ	雨	181	60
（あーります）	有	135	44
あるーきます	歩	67	22
アン	安	122	40
アン	暗	253	84
い			
イ	委	228	75
いーいます	言	202	67
いえ	家	106	35
いーきます	生	21	6
いーきます	行	64	21
いそーぎます	急	207	68
いたーい	痛	144	47
いち	市	237	78
イチ	一	1	2
いつ	五	5	2
イツ	一	1	2
いつーつ	五	5	2
いと	糸	31	10
いま	今	51	16

	（漢字	NO.	ページ）
いもうと	妹	105	34
いーれます	入	197	65
イン	院	75	24
イン	員	229	76
イン	飲	86	28
う			
（ウ）	右	156	51
ウ	雨	181	60
うえ	上	154	51
（うお）	魚	97	32
うーかります	受	36	11
うーけます	受	36	11
うし	牛	94	31
うしなーいます	失	274	91
うしーろ	後	54	17
うた	歌	145	48
うたーいます	歌	145	48
（うち）	内	110	36
うつーします	写	92	30
うつーします	映	90	29
うつーります	写	92	30
うつーります	映	90	29
うま	馬	95	31
うーまれます	生	21	6
うーります	売	215	71
（ウン）	雲	183	60
ウン	運	269	89
え			
エ	絵	265	88
エイ	英	116	38
エイ	泳	266	88
エイ	映	90	29
エキ	駅	76	25
エン	円	33	10
エン	園	162	53
エン	遠	189	62
エン	塩	213	70
お			
（お）	小	119	39
おーえます	終	61	20
おおーい	多	187	62
おおーきい	大	118	39
（おおやけ）	公	161	53
おーきます	起	58	19
おくーります	送	198	65
おーこします	起	58	19
（おこなーいます）	行	64	21
（おさーめます）	修	114	37

	(漢字	NO.	ページ)		(漢字	NO.	ページ)
おしーえます	教	38	12	から	空	184	61
(おそーわります)	教	38	12	からだ	体	249	82
おと	音	146	48	かーります	借	111	36
おとうと	弟	104	34	かるーい	軽	255	84
おとこ	男	158	52	(かろーやか)	軽	255	84
おぼーえます	覚	206	68	(カン)	寒	126	41
(おも)	主	108	35	カン	間	142	47
おもーい	重	254	84	カン	漢	175	58
おや	親	134	44	カン	館	165	54
およーぎます	泳	266	88	(ガン)	元	139	46
おーわります	終	61	20	ガン	顔	247	82
オン	音	146	48	**き**			
オン	温	192	63	き	木	43	14
おんな	女	159	52	キ	気	81	26
か				キ	汽	173	57
か	日	13	4	(キ)	起	58	19
カ	下	155	51	キ	帰	66	21
カ	火	41	13	キ	機	78	25
カ	花	137	45	きーえます	消	216	71
カ	家	106	35	きーきます	聞	83	27
(カ)	荷	176	58	きーこえます	聞	83	27
(カ)	何	19	6	きーます	来	65	21
カ	歌	145	48	キュウ	九	9	3
ガ	画	91	30	キュウ	弓	272	90
カイ	会	34	11	キュウ	休	60	19
カイ	回	178	59	キュウ	急	207	68
カイ	階	180	59	ギュウ	牛	94	31
カイ	開	218	72	キョ	去	72	23
カイ	絵	265	88	ギョ	魚	97	32
ガイ	階	180	59	キョウ*	兄	102	33
ガイ	外	160	53	キョウ	教	38	12
かーいます	買	87	28	(キョウ)	強	63	20
かえーします	返	264	87	(ギョウ)	行	64	21
かえーります	返	264	87	きーります	切	113	37
かえーります	帰	66	21	キン	近	190	63
かお	顔	247	82	キン	金	44	14
かーきます	書	28	9	ギン	銀	170	56
カク	画	91	30	**く**			
(カク)	覚	206	68	ク	九	9	3
ガク	学	22	7	ク	工	226	75
ガク	楽	147	48	(ク)	口	242	80
(かさーねます)	重	254	84	ク	区	236	78
かーします	貸	112	37	クウ	空	184	61
かた	方	211	70	くすり	薬	148	49
かたな	刀	271	90	くち	口	242	80
(かたーります)	語	117	38	くに	国	17	5
ガツ	月	40	13	くばーります	配	260	86
(かど)	門	24	7	くも	雲	183	60
かね	金	44	14	くらーい	暗	253	84
かみ	紙	30	9	くるま	車	80	26

	（漢字	NO.	ページ）		（漢字	NO.	ページ）
くろ	黒	133	44	ころーびます	転	270	89
くろーい	黒	133	44	コン	今	51	16
グン	郡	238	79	（ゴン）	言	202	67
け				**さ**			
（ケ）	気	81	26	サ	左	157	52
（ゲ）	下	155	51	サ	作	217	72
（ゲ）	外	160	53	サ	茶	98	32
ケイ	兄	102	33	さか	酒	99	32
ケイ	計	26	8	さかな	魚	97	32
ケイ	軽	255	84	さーがります	下	155	51
けーします	消	216	71	さき	先	20	6
ケツ	結	201	66	サク	作	217	72
ゲツ	月	40	13	さけ	酒	99	32
ケン	見	82	27	さーげます	下	155	51
ケン	県	235	78	さーまします	覚	206	68
ケン	間	142	47	さむーい	寒	126	41
ゲン	元	139	46	さーめます	覚	206	68
ゲン	言	202	67	（さーります）	去	72	23
こ				サン	三	3	2
こ	子	109	36	サン	山	136	45
こ	小	119	39	ザン	残	261	86
コ	戸	232	77	**し**			
（コ）	去	72	23	シ	子	109	36
コ	古	124	41	シ	止	263	87
（コ）	呼	204	67	シ	四	4	2
ゴ	五	5	2	シ	仕	224	74
ゴ	午	52	17	シ	市	237	78
ゴ	後	54	17	（シ）	糸	31	10
ゴ	語	117	38	シ	姉	103	34
コウ	工	226	75	シ	使	164	54
コウ	口	242	80	シ	始	268	89
コウ	公	161	53	シ	紙	30	9
コウ	広	256	85	シ	歯	246	81
コウ	行	64	21	ジ	字	149	49
コウ	好	151	50	ジ	地	171	56
（コウ）	後	54	17	ジ	耳	244	81
コウ	校	23	7	ジ	事	225	74
コウ	高	120	39	（ジ）	持	220	73
ゴウ	号	210	69	ジ	時	25	8
コク	国	17	5	ジ	辞	27	8
コク	黒	133	44	しお	塩	213	70
ここのーつ	九	9	3	した	下	155	51
こころ	心	259	86	（したーしい）	親	134	44
こと	言	202	67	シチ	七	7	3
（こと）	事	225	74	シツ	失	274	91
（こーない）	来	65	21	シツ	室	39	12
（このーみます）	好	151	50	（ジツ）	日	13	4
（ころーがします）	転	270	89	ジツ	実	88	29
（ころーがります）	転	270	89	ジッ	十	10	3
（ころーげます）	転	270	89	しーまります	閉	219	72

188

	(漢字	NO.	ページ)			(漢字	NO.	ページ)
しーめます	閉	219	72	すーみます	住	230	76
シャ	写	92	30	**せ**			
シャ	社	35	11	セイ	生	21	6
シャ	車	80	26	セイ	青	130	43
シャク	借	111	36	セキ	赤	131	43
シュ	手	29	9	セツ	切	113	37
シュ	主	108	35	(セツ)	雪	182	60
(シュ)	取	205	68	セン	千	12	3
シュ	酒	99	32	セン	先	20	6
(ジュ)	受	36	11	セン	船	174	57
シュウ	州	240	79	セン	線	212	70
シュウ	修	114	37	ゼン	全	152	50
シュウ	終	61	20	(ゼン)	前	53	17
シュウ	週	70	23	**そ**			
シュウ	習	89	29	ソウ	早	193	64
ジュウ	十	10	3	ソウ	送	198	65
ジュウ	住	230	76	ソク	足	248	82
ジュウ	重	254	84	ソク	速	194	64
シュク	宿	140	46	ゾク	族	107	35
シュツ	出	196	65	そと	外	160	53
ショ	初	276	91	(その)	園	162	53
ショ	所	231	76	そら	空	184	61
ショ	書	28	9	ソン	村	239	79
ショ	暑	125	41	**た**			
ジョ	女	159	52	た	田	18	5
ショウ	小	119	39	タ	多	187	62
(ショウ)	少	188	62	タイ	大	118	39
ショウ	生	21	6	タイ	台	179	59
ショウ	消	216	71	タイ	体	249	82
ジョウ	上	154	51	タイ	待	221	73
ジョウ	乗	257	85	(タイ)	貸	112	37
ジョウ	場	227	75	ダイ	大	118	39
ショク	食	85	28	ダイ	台	179	59
しーります	知	223	74	ダイ	弟	104	34
しろ	白	132	43	ダイ	題	141	46
しろーい	白	132	43	たかーい	高	120	39
シン	心	259	86	たけ	竹	166	55
シン	身	222	73	だーします	出	196	65
シン	真	93	30	たーちます	立	214	71
シン	新	123	40	タツ	達	69	22
シン	親	134	44	たーてます	立	214	71
ジン	人	15	4	たのーしい	楽	147	48
す				たび	旅	195	64
(す)	州	240	79	たーべます	食	85	28
ズ	図	163	54	たーります	足	248	82
ズ	頭	143	47	タン	短	251	83
スイ	水	42	13	ダン	男	158	52
すーき	好	151	50	ダン	暖	191	63
すくーない	少	188	62	**ち**			
すこーし	少	188	62	(ち)	千	12	3

	(漢字	NO.	ページ)			(漢字	NO.	ページ)
チ	地	171	56		トウ	頭	143	47
チ	知	223	74		ドウ	働	59	19
ちいーさい	小	119	39		とお	十	10	3
ちかーい	近	190	63		とおーい	遠	189	62
ちから	力	241	80		とき	時	25	8
(チク)	竹	166	55		ドク	読	84	27
ちち	父	100	33		ところ	所	231	76
チャ	茶	98	32		とし	年	71	23
チュウ	中	16	5		とーじます	閉	219	72
チュウ	昼	48	15		とーびます	飛	77	25
チョウ	町	138	45		とーまります	止	263	87
チョウ	長	250	83		とーめます	止	263	87
チョウ	鳥	153	50		とも	友	68	22
チョウ	朝	47	15		とり	鳥	153	50
つ					とーります	取	205	68
ツ	都	233	77		**な**			
ツウ	痛	144	47		な	名	73	24
つかーいます	使	164	54		ナイ	内	110	36
(つかーえます)	仕	224	74		なか	中	16	5
つき	月	40	13		ながーい	長	250	83
つーきます	付	37	12		なな	七	7	3
つくーります	作	217	72		なな―つ	七	7	3
つーけます	付	37	12		なに	何	19	6
つたーいます	伝	208	69		なの*	七	7	3
つたーえます	伝	208	69		(なま)	生	21	6
つたーわります	伝	208	69		ならーいます	習	89	29
つち	土	45	14		なん*	何	19	6
つめーたい	冷	128	42		**に**			
つよーい	強	63	20		に	荷	176	58
て					ニ	二	2	2
て	手	29	9		ニク	肉	96	31
(テイ)	弟	104	34		ニチ	日	13	4
テイ	低	121	40		ニュウ	入	197	65
(テイ)	体	249	82		にわ	庭	169	56
テイ	庭	169	56		ニン	人	15	4
テツ	鉄	172	57		**ぬ**			
でーます	出	196	65		(ぬし)	主	108	35
テン	天	185	61		**ね**			
テン	店	186	61		ネツ	熱	127	42
テン	転	270	89		ねーります	練	267	88
(デン)	田	18	5		ネン	年	71	23
デン	伝	208	69		ネン	念	262	87
デン	電	79	26		**の**			
と					のこーします	残	261	86
と	戸	232	77		のこーります	残	261	86
(ト)	土	45	14		(のち)	後	54	17
ト	図	163	54		のーみます	飲	86	28
ト	都	233	77		のーります	乗	257	85
ド	土	45	14		**は**			
トウ	刀	271	90		は	歯	246	81

	（漢字	NO.	ページ）		（漢字	NO.	ページ）
ば	場	227	75	ふ			
バ	馬	95	31	（フ）	父	100	33
ハイ	配	260	86	（フ）	付	37	12
バイ	売	215	71	フ	府	234	77
（バイ）	買	87	28	ブ	分	57	18
はいーります	入	197	65	ふた	二	2	2
（はかーります）	図	163	54	ふたーつ・り	二	2	2
はかーります	計	26	8	ブツ	物	177	58
ハク	白	132	43	ふで	筆	168	55
はこ	箱	167	55	ふね	船	174	57
はこーびます	運	269	89	ふるーい	古	124	41
はじーまります	始	268	89	フン	分	57	18
はじめ	初	276	91	ブン	分	57	18
はじめて	初	276	91	ブン	聞	83	27
はじめます	始	268	89	へ			
はずーします	外	160	53	ヘイ	閉	219	72
はたらーきます	働	59	19	ヘン	返	264	87
ハチ	八	8	3	ベン	勉	62	20
（はつ）	初	276	91	ほ			
はな	花	137	45	ホ	歩	67	22
はな	鼻	245	81	（ボ）	母	101	33
はなし	話	203	67	ホウ	方	211	70
はなーします	話	203	67	（ボク）	木	43	14
はは	母	101	33	ほーしい	欲	200	66
はやーい	早	193	64	ホン	本	14	4
はやーい	速	194	64	ま			
ハン	半	56	18	ま	真	93	30
（バン）	万	32	10	（ま）	間	142	47
バン	晩	49	16	マイ	毎	55	18
バン	番	209	69	マイ	妹	105	34
ひ				まえ	前	53	17
ひ	日	13	4	まち	町	138	45
ひ	火	41	13	まーちます	待	221	73
ヒ	飛	77	25	まったーく	全	152	50
ビ	鼻	245	81	（まなーびます）	学	22	7
（ひーえます）	冷	128	42	まわーします	回	178	59
ひくーい	低	121	40	まわーります	回	178	59
ひだり	左	157	52	マン	万	32	10
ヒツ	筆	168	55	み			
ひと	一	1	2	み	三	3	2
ひと	人	15	4	み	身	222	73
ひとーつ・り	一	1	2	み	実	88	29
ヒャク	百	11	3	みーえます	見	82	27
ビョウ	病	74	24	みぎ	右	156	51
ひらーきます	開	218	72	みじかーい	短	251	83
ひる	昼	48	15	みず	水	42	13
ひろーい	広	256	85	みせ	店	186	61
（ひろーげます）	広	256	85	みーせます	見	82	27
（ひろーまります）	広	256	85	みっーつ	三	3	2
（ひろーめます）	広	256	85	みーます	見	82	27

191

	(漢字	NO.	ページ)
みみ	耳	244	81
みやこ	都	233	77
む			
む	六	6	2
むい*	六	6	2
むすーびます	結	201	66
むっーつ	六	6	2
むら	村	239	79
め			
（め）	女	159	52
め	目	243	80
メイ	名	73	24
メイ	明	252	83
も			
モク	木	43	14
モク	目	243	80
もーちます	持	220	73
（モツ）	物	177	58
もと	元	139	46
（もと）	本	14	4
もの	物	177	58
モン	門	24	7
や			
や	八	8	3
や	矢	273	90
ヤ	夜	50	16
ヤク	薬	148	49
やすーい	安	122	40
やすーみます	休	60	19
やっーつ	八	8	3
（やど）	宿	140	46
やま	山	136	45
やーめます	辞	27	8
ゆ			
ユウ	友	68	22
（ユウ）	右	156	51
ユウ	有	135	44

	(漢字	NO.	ページ)
ユウ	遊	199	66
ゆき	雪	182	60
ゆみ	弓	272	90
よ			
よ	四	4	2
よ	夜	50	16
よう*	八	8	3
ヨウ	曜	46	15
ヨク	浴	258	85
ヨク	欲	200	66
よっーつ	四	4	2
よーびます	呼	204	67
よーみます	読	84	27
よる	夜	50	16
よん	四	4	2
ら			
ライ	来	65	21
（ラク）	楽	147	48
り			
リ	理	115	38
リキ	力	241	80
リツ	立	214	71
リョ	旅	195	64
リョウ	料	150	49
リョク	力	241	80
れ			
レイ	礼	275	91
レイ	冷	128	42
レン	練	267	88
ろ			
ロク	六	6	2
わ			
ワ	話	203	67
（わーかります）	分	57	18
（わーかれます）	分	57	18
わーけます	分	57	18
わるーい	悪	129	42

編著者
学校法人KCP学園
KCP地球市民日本語学校

新装版 1日15分の漢字練習　初級～初中級（上）

発行日	1999年7月10日（初版） 2011年8月15日（新装版 初版） 2025年2月12日（第16刷）
編著者	学校法人KCP学園 KCP地球市民日本語学校 株式会社日本富士国際学院
編集	株式会社アルク日本語編集部
編集協力	堀田 弓
日本語校正	岡田 英夫
英語校正	Jon McGovern
中国語校正	石 暁宇
韓国語校正	金 海美
タイ語校正	Narin Thap-hong
ベトナム語校正	Vu Tuan Khai
デザイン・DTP	株式会社 創樹
本文イラスト	駒見 龍也
印刷・製本	広研印刷株式会社
発行者	天野智之
発行所	株式会社アルク 〒141-0001　東京都品川区北品川6-7-29 ガーデンシティ品川御殿山 Website：https://www.alc.co.jp/

地球人ネットワークを創る

アルクのシンボル
「地球人マーク」です。

落丁本、乱丁本は、弊社にてお取り替えいたしております。
Webお問い合わせフォームにてご連絡ください。
https://www.alc.co.jp/inquiry/

本書の全部または一部の無断転載を禁じます。著作権法上で認められた場合を除いて、本書からのコピーを禁じます。定価はカバーに表示してあります。

ご購入いただいた書籍の最新サポート情報は、以下の「製品サポート」ページでご提供いたします。
製品サポート：https://www.alc.co.jp/usersupport/

©2011　KCP International Japanese Language School / ALC PRESS INC.
Tatsuya Komami
Printed in Japan.

PC: 7011058
ISBN: 978-4-7574-2012-0